월급 말고 플러스알파,
온라인으로 돈 벌기

바빠도 게을러도 무조건 수익 내는 온라인 파이프라인 만들기

월급 말고 플러스알파, 온라인으로 돈 벌기

이수환 지음

체인지업
CHANGEUP

월급만으로는
부족한 그대들에게

　외벌이 월급 400만 원. 달마다 월세, 공과금, 대출이자, 4인 가족 식비, 아이들 기저귀, 분유 값을 내고 나면 남는 돈이라고는 거의 없다. 이렇게까지 돈이 부족하다고 느끼며 살아본 적이 거의 없었다. 부모님을 뵈러 가는 것도, 누구를 만나는 것도 다 돈과 관련되어 있으니 숨만 쉬어도 돈이 나간다는 말이 실감되었다. 혼자 살 때와는 다르게 경조사까지 많아지면서 당장 외식을 하는 것도 부담스러운 상황에 처했다.

　사실 처음 월급 외 수익을 만들려는 목적은 퇴사하기 위해서였다. 외벌이가 퇴사를 하려면 적어도 현금이 월 400만 원 정도 들어오지 않으면 힘들겠다는 결론을 내렸다. 나는 그 액수를 목표로 일을 시작했고, 목표를 이루었다. 그래서 이 책의 제목도 '월급 말고 플러스알파, 온라인으로 돈 벌기'라고 다소 당당하게 지었다. 하지만 그렇다고 해서 '내가 그렇게 벌었으니 누구라도 월급 외 수익 500만 원 이상을 벌게 해주겠다'라고 단언할 수는 없다. 하지만 월급 외 수익 50만 원은 아무런 재능이 없는 사람이라도 해낼 수 있겠다는 생각이 들었다. 시간을 내서 알바를 하지 못하는 사람이나, 집에 아이들이 있어서 밖을 나가지 못하지만 생계에 보탬이 되는 일을 하고 싶어 하는 전업주부들에게 도움이 되는 책을 쓰고 싶었다.

월급 외 수익으로 500만 원 이상을 벌려면 반드시 무언가에 시간을 더 투자하는 노력을 해야 한다. 하지만 그 '노력'이라는 것이 상당히 막연하다. 어떤 노력을 어떻게 해야 하는지 막막하기만 하다. 만약 누군가가 노력의 방향성과 노하우를 알려준다면 더 많은 사람들이 도움을 받을 수 있을 테고, 내가 그 역할을 하고 싶었다. 그러니까 일종의 재능 나눔을 하고 싶은 것이다. 하지만 잊지 말아야 할 것이 있다. 가르칠 수 있는 건 한계가 있다는 사실이다. 누군가의 성공 비결을 발판 삼아 그 이상으로 도약하려면 지금껏 발견하지 못했던 자신의 재능을 찾아내야 한다.

나는 얼마 전에 갤럽의 강점검사를 통해 '나만이 해낼 수 있는 일'이 무엇인가를 찾았다. 내가 월급 외에 목표했던 수입에 도달할 수 있었던 이유도 내 안에 있던 강점들을 유기적으로 결합하여 영업활동으로 엮어냈고, 그 성취를 통해 다른 사람들을 위한 강의까지 할 수 있었기 때문이다. 나 자신도 내가 이런 일까지 하게 될 줄은 몰랐다. 용기를 내어 다른 방향으로 발을 내딛어 보니 여기까지 오게 되었고, 그 성공의 여정을 다른 사람들과 더 많이 나누려면 책을 써야겠다는 생각이 들었다.

이 책을 쓴 목적은 3장 '적은 시간 투자 대비 쏠쏠한 7개의 N잡들'에 다 들어 있다. 여러분은 3장을 통해 자신이 어떤 일을 통해 수익을 창출할 수 있는지 찾을 수 있을 것이다. 그리고 이를 활용해서 가정의 생계에 조금이나마 도움이 되었으면 한다. 더 나아가 4장 '2년 만에 월 500만 원 파이프라인을 만든 비결'에는 이 수익을 지속적이고 꾸준하게 유지하는 방법을 다루었다. 물론 어떤 사람들은 3장의 내용처럼 지속적이고 큰 액수의 부수입을 원하지 않을지도 모른다. 하지만 적어도 이런 방법들을 통해 일반인들도 인플루언서 못지않게 다른 사람들에게 도움을 주면서 스스로 도약하는 발판을 마련할 수 있다는 사실을 알려주고 싶었다.

사실 4장을 쓰면서 '내가 책을 낼 수 있을까?'라는 부담감이 찾아왔다. 이 책이 모든 사람을 만족시켰으면 좋겠다는 지나친 바람과 교만함에서 온 부담이었다. 책 쓰기가 버거워지면서 나는 책 쓰기를 멈추고 한동안 생각에 잠겼다. 내가 책을 쓰는 이유와 이 책이 어떤 가치를 지닌 책이 되기를 바라는지 다시 한 번 생각했다. 그리고 그때까지 썼던 내용을 모두 지우고 겸손하고 낮은 자세로 다시 원고를 쓰기 시작했다. 나만의 경험, 내가 직접 해보았기에 줄 수 있는 조언과 방법론을 담아 쉽게 원고를 썼다.

나처럼 N잡러로 안정적인 수입을 얻어 퇴사하고 싶어 하는 사람들도 있겠지만, 회사를 계속 다니고 싶어 하는 사람들도 있을 것이다. 500만 원을 더 벌기 위해 그만큼의 시간을 투자하는 것보다 50만 원만 더 벌면서 자유로운 시간을 누리겠다고 생각하는 사람들도 있을 것이다. 그들이 이 책을 읽으면서 자신의 길을 선택할 수 있도록 가능한 한 많은 선택지를 제공하려고 한다.

먼저 걸어본 사람이 알려줄 수 있는 지름길이자 안전한 길이라는 걸 믿고 실행해서 자신이 원하는 삶에 조금 더 가까이 다가간다면 그보다 더 큰 기쁨은 없을 것이다.

이수환

1장

나는 퇴근 후 N잡러가 되었다

2장

N잡러가 되기 전 알고 있어야 할 작지만 중요한 기술들

적은 시간 투자 대비 쏠쏠한 7개의 N잡들

2년 만에 월 500만 원 파이프라인을 만든 비결

5장

지치지 않고 황금거위를 만드는 법

나는 퇴근 후

N잡러가

되었다

결혼 후 팍팍해진 삶에
필요했던 돌파구

+ + +

결혼 후 두 딸의 아빠인 외벌이 가장, 양가 부모님을 모두 신경 써야 하는 입장이 되었다. 숨만 쉬고 있어도 한 달에 빠져나가는 돈은 약 300만 원. 월세 100만 원, 네 명의 실비보험, 차비와 식비를 포함한 생활비 100만 원, 거기다 경조사라도 있는 달이면 모이는 돈이라고는 없었다. 비교적 이른 나이인 스물여섯 살에 결혼생활을 시작하니 돈을 모을 수 있는 상황이 아니었다. 20대에 받을 수 있는 월급은 빤한데, 책임져야 하는 사람들은 늘었으니 당연한 일이었다. 결혼 후 몇 년은 우리 네 식구만 잘살면 된다고 생각했지만 세상 이치가 그렇지 않았다.

4년 전, 어머니가 갑자기 간경화에 걸리셨다. 수중에 모아놓은 돈이라고는 현금 1천만 원 남짓이 전부. 그렇다고 보유 자산이 있는 것도 아니었다. 한 달에 약값만 30만 원가량 들어가다 보니 마음이 조급해졌다. 부모님의 연세가 환갑이 넘으셨으니 더 이상 일을 하실 수도 없는 노릇이었고, 설상가상 어머니뿐 아니라 아버지와 처가댁 부모님의 건강도 모두 좋지 않은 상태였다. 이 모든 문제들이 한꺼번에 몰려오면서 내 어깨를 짓눌렀다. 준비가 덜 된 상태에서 많은 문제가 눈앞에 닥치니 문제를 제대로 바라보기 어려웠고 피하고만 싶었다. 아니, 최소한 어머니 약값만이라도 지원해드리고 싶었다. 한 달에 100만 원만 더 들어온다면 내 앞에 놓인 이 문제들을 어느 정도는 정리할 수 있을 것 같았다. 하지만 월급 외에 부수입으로 100만 원을 더 번다? 쉽지 않은 일이었다.

상황이 이렇다 보니, 아내와 돈 때문에 싸우는 일이 잦아졌다. 둘이서만 살 때는 싸울 일이 없었는데 말이다. 그러다 아이를 낳았고, 우리 둘 사이의 의견 대립은 점점 잦아졌다. 아내는 아이들에게 좋은 음식과 장난감, 예쁜 옷, 남들에게 뒤지지 않는 교육을 시키고 싶어 했지만, 나는 꼭 필요한 것이 아니라면 안 된다며 반기를 들었다. 어떤 부모가 자식에게 더 좋은 환경을 주고 싶지 않겠는가. 하지만 내 월급만으로는 바라는 바를 모두 지원할 수 없는 상황이었다.

뭔가 새로운 걸 도모하지 않으면 아무것도 달라지지 않을 게 당연했다. 지금까지의 결과는 내가 만든 상황이고, 그 상황을 개선할 수 있는 것도 순전히 내 몫이었다. 그래서 결심했다. 더 많은 돈을 벌어보자고. 직장이 있으면 어떠랴? 지금 당장 내가 살아야 하는데 무엇이 더 중요한가? 절박함이 나를 움직이게 만들었다. 그러나 조급한 마음이 앞섰기 때문일까? 무리하게 카페 창업을 했고, 코로나로 크게 쓴맛을 봤다. 다행이라고 해야 할까? 실패할 것을 알고 시작했기에 흔들리는 마음을 금방 다잡을 수 있었다. 다시 직장과 온라인 부업을 병행하며 3개월 만에 순수익 50만 원의 성과를 냈고, SNS상에 나의 지식과 메시지를 전달하면서 만 2년 만에 N잡을 통해 순수익 500만 원의 성과를 이뤄냈다. 성과를 낸 뒤 무엇보다 기뻤던 일은 외식 할 때, 혹은 후배들 밥을 사줄 때, 알고 지냈던 지인들에게 기프티콘을 보낼 때 부담 없이 돈을 쓸 수 있다는 점이었다.

직장인 연봉은 물가상승률을 따라가지 못한다. 연봉 3,000만 원인 사람이 연봉을 10퍼센트 상승시키기 위해서는 최소한의 물가상승률을 감안할 때 3년의 시간이 걸린다. 그나마 일을 할 수 있다면 다행이지만 누군가는 일을 더 하고 싶어도 직장에서는 더 이상 그에게 돈을 주지 않겠다고 할지도 모른다. 한 달에 50만 원만 부수입이 있어도 외벌이 가장의 부담은 줄어든다. 지금 생활에 만족하고 더 이상의 여윳돈이 필요하지 않다면 모를까, 내 아이들에게 더 나은 교육 환경을 제공하고, 부모님에게 조금 더 편안한 노후 생활을 선물하고, 나의 삶에도 소소한 여유를 주고 싶다면 지금까지의 생활 패턴에 변화를 주어야 한다.

내가 N잡러가 되어 안정적으로 부수입을 창출하게 되면서 가장 좋았던 점은 정신적인 압박감에서 벗어났다는 점이다. 그러다 보니 짜증과 스트레스가 줄었고, 자연스레 아내와의 갈등도 확연히 줄었다. 돈이 행복의 척도는 아니지만 행복의 필요조건 중 하나이기는 하다. 씁쓸하지만 그 사실을 인정하고 나면, 내가 지금 무엇을 해야 하는지 방향이 정해진다. 방향이 정해지면 실행에 옮길 차례다.

월급은 기본,
플러스알파가 되는 N잡을 찾아라

+ + +

　돈을 벌기로 마음먹었을 때 책을 통해서 현금 흐름의 중요성을 알게 되었고, 투자금 대비 수익률이라는 함정에 빠졌다. 그로 인해 덜컥 카페 창업부터 하는 실수를 저질렀다. 큰돈이 들어가야 할 때는 '리스크' 관리가 필요한데, 나는 그때 긍정적인 결과만 생각하고 있었고, 실패에 대한 후폭풍을 생각하지 않았다.

　그 당시 유튜브에서는 돈 버는 법에 대한 콘텐츠가 유행하고 있었다. 그런 유튜브 콘텐츠를 보면서 나도 큰돈 들이는 것 없이, 즉 내 시간에 대한 리스크만 갖고 할 수 있는 일이 없는지 찾아보기 시작했다. 실패를 경험했던 터라 또다시 목돈이 들어가는 실패를 감행하기가 두려웠다. 그때 알게 된 것이 시간을 투자해서 돈을 버는 SNS 부업이었다.

SNS 부업은 어떤 것을 시도하든 효과를 보기까지 최소 3개월이 걸린다. 열심히만 한다고 기업으로부터 협찬을 받고 돈을 벌수는 없다. 그럼 블로그와 인스타그램의 협찬 방식은 어떨까? 인스타그램을 시작할 때 '좋아요'와 '팔로워^{follower}'를 인위적으로 늘린다고 도움이 될까? 그렇지 않다. 단순히 팔로워 수만 많다고 협찬이 들어오거나 관심의 대상이 되는 건 아니다. 광고주들은 영리해지기 시작했고, 팔로워 수 대비 팔로워들과 얼마나 자주, 깊은 소통을 하고 있느냐에 따라 그 SNS의 상품성을 판단한다. 팔로워들과의 유대감을 보는 것이다. 사실 처음에는 SNS가 관계의 단절을 낳는다는 비판을 많이 받았지만 이제 SNS는 더 다양한 방법으로 개성 있게 자신을 드러내고 다른 사람들과 긴밀하게 연결되는 또 다른 소통 창구가 되었다.

아내에게도 SNS는 소통의 창구였다. 아내는 첫째 아이를 낳고 심한 산후 우울증으로 고생했다. 친정 부모님은 일하시느라 바쁘셔서 아이를 봐주실 수 없었고, 나도 바쁜 직장인이었던 터라 육아에 신경을 쓸 수 없었다. 아내의 친구들은 모두 결혼 전이어서 육아의 어려움에 대해 공감해주고 이해해주는 사람도 없었

월급 말고 플러스알파, 온라인으로 돈 벌기

다. 그런 그녀를 위로해주었던 것이 바로 인스타그램이었다. 아내는 육아 인스타그램을 운영하면서 인친(인스타그램 친구)들과 소통하면서 많은 위로를 받았다고 한다. 가끔 아이들 장난감과 생필품을 협찬받기도 하고, 육아 스트레스부터 일상생활의 자잘한 고민까지 인친들과 이야기를 나누며 공감받고 격려하면서 자연스럽게 일상의 활력을 되찾았다.

인스타그램이 소통 중심의 SNS라면 블로그는 철저히 네이버 노출 중심의 정보성 글을 써야 하는 매체다. 소통보다는 노출의 비중이 압도적으로 크다고 할 수 있다. 검색어를 잡고 철저히 정보 중심의 글을 쓰다 보면, 일일방문자수가 100~200명 이상으로 늘어난다. 이 정도가 되면 체험단과 기자단 협찬을 받을 수 있는 최저 기준이 된다. 내 강의를 들었던 수강생 중 한 분은 일일방문자수 100~200명 정도에 만족하면서 블로그 체험단 협찬으로 한 달에 50~100만 원은 거뜬히 충당하기도 했다.

이렇듯 꼭 사업자가 아니어도 블로그나 인스타그램을 활용하여 충분히 부업 활동을 할 수 있다. 어떤 것을 먼저 시작해도 좋지만, 이 책에서는 블로그와 스마트스토어를 운영해서 수익을 올릴 수 있는 방법을 안내하려고 한다. 다른 SNS 부업도 많지만 작은 성공의 경험을 느낄 수 있는 분야가 바로 블로그와 스마트스토어이기 때문이다. '크게 생각해야 크게 이룬다.' 나는 이 말에 반기를 들고 싶다. 직장 바깥에서의 '작은 성공 경험'이 없는데 어떻게 큰돈을 버는 아이디어를 떠올릴 수 있을까? 이 분야는 실패해도 목돈을 잃을 가능성이 가장 낮다. 시간에 대한 리스크만 있을 뿐이다.

여기서 잠깐, 자신을 브랜드화를 할 마음은 없지만 SNS 재테크 기술을 배워서 50~100만 원으로 만족하고, 그 이상은 원치 않는다면 바로 2장으로 넘어가자.

지금 시작해도
늦지 않다

+ + +

120일된 딸아이가 자다가 분수토를 했다. 잠을 자는 둥 마는 둥 밤새도록 아이 상태를 지켜봤다. 다행히 아이는 곤히 잠들었지만 나는 잠을 이룰 수가 없었다. '자다가 숨이 막히면 어떡하지? 혹시 역류해서 기도가 막히면?' 별의별 생각이 다 들었다. 아이가 태어나고 처음으로 긴장된 상태로 밤을 지새웠다. 육아가 걱정과 피곤한 날들의 연속이라는 사실을 조금이나마 알게 된 경험이었다.

살다 보면 이렇듯 예기치 못한 일이 수없이 벌어진다. 한 달

동안 야근을 해야 하는 프로젝트가 시작될 수도 있고, 아이나 부모님이 갑자기 아플 수도 있다. 그러다 보면 회사 일 외에 다른 일을 시작해보자는 마음은 금세 사그라든다. 몸이 피곤해서, 스트레스가 많아서, 힘들고 지쳐서 미루는 날들이 많아진다. 사업자 등록증만 만들어놓은 사람, 돈 버는 방법에 대한 유튜브 영상만 1년 내내 보고 있는 사람, 이제나 저제나 용기가 없어 망설이고만 있는 사람 등 많은 이들이 마음만 있고 몸은 움직이지 못하는 상태에 놓여 있다.

나도 그랬다. 하루하루가 피곤하고 힘들어서 집에 오면 잠자기 바빴다. 하지만 한편으로는 '내가 시작을 안 해서 그렇지 시작만 하면 저 사람들처럼 될 수 있어'라는 착각에 빠져 있었다. 직장 생활만 간신히 해나가는 동료들, 경제 공부에는 관심조차 없는 친구들을 보면서 내심 '나는 너희들과 다르다'고 뿌듯해하기도 했다. '나는 벌써 이 유명한 경제 유튜브를 하루도 빼먹지 않고 보면서 열공을 하고 있으니 무엇이든 시작만 하면 시행착오 없이 목표를 이룰 수 있을 거야'라는 즐거운 상상만 펼쳤다. 현실은 제자리인데 말이다.

그러다가 2018년 비트코인과 주식을 시작했다. 결과는 실패였다. 나름대로 공부를 많이 했다고 생각했는데 현실은 그렇게 녹록치 않았다. 많은 돈을 잃고 실의에 빠져 의욕을 잃어가던

2019년에 온라인으로 돈을 벌 수 있다는 소식을 접했다. 예전에는 직장인이 부업으로 돈을 벌려면 주식과 부동산밖에 없다고 생각했지만 그렇지 않았다. 세상에는 다양한 수익 창구가 있었고, 유튜브 알고리즘은 그 새로운 세계로 나를 안내했다. 창업이라고 하면 치킨집이나 식당 사장밖에 모르던 나에게 희소식이었다. 블로그 체험단, 스마트스토어, 쿠팡파트너스, 위탁판매, 티스토리, 전자책, 온라인 강의 수익, 1인 지식기업 등 다양한 일들이 있었고, 시작하기 전부터 돈이 드는 창업과 달리 돈이 없어도 시작할 수 있는 일들이었다.

이 모든 새로운 세계가 유튜브 안에 있었다. 과거에는 돈 있고 빽 있는 사람만 고급 정보를 취득했다면, 지금은 유튜브를 통해 많은 정보를 접할 수 있다. 값비싼 수강료를 주고 들었던 강의가 얼마 지나지 않아 유튜브에 모두 공개되기도 한다.

이런 정보의 대중화 시대에는 내가 원하는 시기에 내게 꼭 필요한 정보를 언제든 접할 수 있다는 장점이 있다. 반면에 자신이 원하는 주제에 대한 정보를 지나치게 자세히 알게 되어 그만큼 자신의 처지를 비관하거나 남과 비교하여 좌절감에 빠질 위험도 있다. 내가 관심 있는 영역에 대해 더 많이, 더 폭넓게 알다 보니 그에 대한 소비도 점점 늘어난다. 나도 그런 정보의 홍수 속에서 오히려 무력감에 빠졌던 것 같다.

스마트스토어에 대한 강의를 듣고 사업자등록증을 만든 뒤, 나는 1년 동안 아무것도 하지 않았다. 이게 잘 팔릴지 저게 잘 팔릴지 이것저것 따져보느라 시간만 가고, 늦은 만큼 더 완벽해야 한다는 강박으로 시작조차 힘들었다.

하지만 기억해야 한다. 경험보다 중요한 교육은 없다. 바로 지금 시작하는 것이 가장 좋다. 시작을 해야 50만 원을 벌든 100만 원을 벌든 결과를 볼 수 있다. 늦었다고 탓하지도 말아야 한다. 지금 시작해도 늦지 않았고, 새로운 분야는 계속해서 생겨나고 있다. 머릿속으로 생각만 하면 아무 일도 일어나지 않는다. 생각 대신 '내가 한 달에 50만 원은 더 번다'는 목표 하나로 자리를 털고 일어나야 한다.

이 책이 그런 당신의 각오가 실현되는 데 도움을 줄 수 있다. 대단히 힘든 일도 아니다. 이 책을 읽을 정도의 에너지만 있다면 누구든 따라해볼 수 있는 내용이다.

리스크가
내 삶의 발목을 잡지 않게

+ + +

    직장인들이 월급 외 부수입을 원할 때 떠올리는 것은 대부분 비트코인, 주식, 부동산이다. 하지만 이런 시장은 리스크가 크다. 활황과 불황을 가파르게 오고간다. 요식업은 어떨까? 이른 나이에 돈 좀 벌어보겠다고 호기롭게 시작한 식당이 코로나로 인해 처참한 상황에 놓여 좌절한 청년들이 수도 없이 많다. 은퇴 자금으로 카페나 치킨집을 창업한 시니어들도 마찬가지다. 그나마 자기 돈으로 창업한 사람들은 사정이 나은 편이다. 대출을 많이 받아 창업한 사람들은 나날이 한숨뿐이다.

어떤 일이든 자영업을 시작할 때는 누구나 신중에 신중을 기한다. 발품을 팔아 정보를 얻고 미리 창업한 사람들의 이야기도 들어본다. 프렌차이즈 창업에 관심이 간 사람들은 수익률에 근거해서 회사 측이 제시한 자료를 참고하기도 한다. 하지만 과연 그 자료에 나와 있는 대로 매출을 유지할 수 있을까? 떠도는 말처럼 프렌차이즈는 절대 망하지 않을까? 프렌차이즈 창업 설명회에 가면 "창업하고 바짝 1~2년만 고생하면 금방 창업자금 뽑아냅니다"라고 호언장담하는데, 그 말을 믿어도 될까?

현실은 다르다. 급변하는 시장 상황도 문제지만 창업자 자신의 불안감과 조급증이 일을 그르친다. 퇴사나 은퇴를 한 뒤 창업을 하면 느긋한 마음으로 장사하기가 힘들다. 실패할 경우 리스크가 너무 크기 때문이다. 창업한 뒤 부대비용만 따져봐도 이상과 현실의 괴리가 피부에 와닿을 것이다.

예를 들어보자. 14평 매장 기준 월세와 부가가치세 포함해서 121만 원, 화재보험 2만 원, CCTV 6만 원, 와이파이 요금제 4만 원, 관리비(공용전기비+수도세) 20만 원, 전기세 30만 원, 프렌차이즈 로열티 한 달에 20만 원(프렌차이즈마다 차이가 있다), 세스코 6만 원, 배달 제휴서비스비 33만 원…. 대충 잡아도 한 달에 약 242만 원의 고정료가 발생한다. 거기에 재료비를 매출액 대비 30~35%로 따졌을 때 매출 1천만 원 시 300~350만 원이 재료

비로 지출된다. 그뿐만이 아니다. 혼자서 장사하기 벅차서 직원이나 알바생이라도 고용할라치면 인건비 또한 만만치 않다.

　이런 현실을 모르고 무작정 창업 전선에 뛰어들면 프렌차이즈 본사가 제시한 수익 자료에 자신을 맞춰 가기 시작한다. 그때부터 사람이 돈으로 보이기 시작한다. 더 좋은 서비스를 하는 데 망설여지고 머릿속으로 수익률을 계산하게 된다. 더 주기보다 바라는 마음이 스멀스멀 올라온다. 아무리 친절하고 착했던 사람도 '조급함과 두려움'이 앞서면 태도가 바뀐다. 특히 자기자본 없이 대출만으로 창업을 한 사람들이라면 더 그렇다. "장사는 사람 장사"라는 말이 있다. 사람을 얻는다 생각하고 장사를 해야 돈이 따라온다는 뜻이다. 사람이 돈으로 보이는 순간, 그 가게는 실패의 길을 걷게 된다.

　수차례 강조하지만, 중요한 건 경험이다. 하지만 경험을 쌓기 위해 일부러 실패를 겪어볼 수도 없는 일이다. 이럴 때 간접적으로나마 창업을 체험할 수 있다면 얼마나 좋을까. 블로그 체험단이 그 대안이다. 체험단을 통해 직간접적으로 창업 후에 어떤 어려움이 있는지 살펴볼 수 있고, 어떤 식으로 마케팅을 해야 하는지 배울 수도 있다.

　큰 꿈을 꾸는 것은 좋지만 크게 잃을 수 있는 것이 창업이다. 1억 이상의 거금을 들였다가 5,000만 원만 간신히 건지고 빠져

나올 수도 있다. 그래서 나는 특히 자기자본이 넉넉하지 못한 사람들에게 스마트스토어 창업을 추천한다. 이를 통해 최소한의 온라인 시장 생태계를 미리 경험해보는 것이다.

나는 지금도 시장 상황을 어떤 식으로라도 경험해보지 못한 사람에게는 창업을 권유하지 않는다. 경험이 최고의 자산이라는 것을 잊지 말아야 한다. 경험이라는 맷집을 키워야 맞았을 때 타격도 크지 않고 금새 일어설 수 있다.

시작 vs 배움,
무엇이 먼저일까?

+ + +

　우리는 대부분 초등학교 6년, 중학교 3년, 고등학교 3년, 대학교 2~4년, 즉 만 15년간 공부만 하는 삶을 산다. 책을 보고 단어를 외우고 시험문제를 풀고 결과를 본다. 그러니 우리가 무언가를 시작하기 어려워하는 이유는 배움이 부족해서도, 몰라서도 아니다. 시간을 투자해 공부를 하고 그 공부의 결과를 받아보는 과정을 반복해왔기에 거부감이 드는 것이다. 과정이 결과만을 위해 존재하는 것처럼 살아오다 보니 결과에 매달리게 되고, 그러다 보니 지나치게 신중해지고 실패에 대한 두려움에 사로잡힌다. 테트리스 게임을 해본 적이 있을 것이다. 테트리스는 원하던 줄을 못 맞추더라도 다른 줄을 맞춰서 게임을 이어갈 수 있다. 한 가지 방법만 있는 게 아니라는 뜻이다.

창업을 하든 새로운 일을 시작하든 마찬가지다. 완벽하게 알 수도 없지만, 설령 완벽하게 알고 준비된 상태로 창업을 한다 해도 현실에서는 예상치 못한 돌발 상황이 수없이 일어난다. 그러니 리스크가 작은 온라인 창업부터 시작해서 위험상황에 대처하는 유연성과 회복력을 키워야 한다.

나 역시도 그랬지만 많은 사람들이 단번에 커다란 성취를 맛보고 싶어 한다. 로또를 매주 구매하는 사람들은 5,000원을 투자해서 10억을 얻는 꿈을 꾼다. 하루 2시간 일하고 한 달에 1,000만 원을 번다는 유튜브 채널을 열심히 본다. 3개월 만에 몇 천만 원을 벌었다는 누군가의 무용담에 귀가 솔깃해진다. 그런 일확천금의 꿈을 꾸고 있다면 이 책을 덮길 바란다. 막연한 꿈보다 구체적인 시작이 훨씬 가치 있다. 시작이 어렵다고? 그렇다면 먼저 이 세 가지부터 지켜보자.

첫째, 배움 중독에서 벗어나야 한다. 유튜브를 보는 시간, 강의를 결제하고 듣는 시간의 총합을 계산해보자. 하루에 몇 시간쯤 될까? 겁이 나서, 불안해서, 남들보다 많이 알고 있어야 할 것 같아서 준비하는 이런 과정은 무언가를 시도해보기에 충분한 시간이다. 시작하는 데 동기부여가 되는 유튜브나 책을 보고 강의를 들었다면 그다음부터는 실행할 단계다. 우선 시작하고 경험과 함께 배움을 추가해서 앞으로 서서히 노를 저어나가야 한다. 탄력이 붙으면 시간을 배분하고 내게 필요한 공부가 무엇인지 선별할 수 있게 될 것이다.

둘째, 화려하고 우아하고 아름다워 보이는 '예쁨' 중독에서 탈출해야 한다. 나는 지금까지도 블로그 스킨을 우아하게 꾸미거나 스마트스토어를 있어 보이게 장식하는 방법을 알지 못한다. 아마 그런 외적인 모습에 신경을 썼다면 이만큼 성장하기 어려웠을 것이다. 물론 화려하게 장식된 가게에 손님이 몰리기도 한다. 하지만 몇 십 년 세월의 흔적이 보이는 오래된 맛집, 간판도 없고 광고도 하지 않지만 입소문만으로 사람들을 불러 모으는 가게도 많다는 걸 잊으면 안 된다.

SNS를 처음 시작하는 초보자들이라면 처음에는 무조건 양으로 승부해야 한다. 인스타그램을 운영한다면 사진을 열심히 올리고 팔로워들과의 소통에 집중해야 하고, 블로그를 운영한다면 글을 꾸준히 올려야 하며, 스마트스토어를 운영한다면 부지런히 상품을 등록해야 한다. 그러다 조금씩 성과가 보이기 시작하면 그때 마케팅이나 편집을 더 깊이 있게 배우고, 경험 많은 강연자의 강의를 들으며 부족한 점을 채워가야 한다.

셋째, 몰입해야 한다. 결과가 나타날 때까지는 다른 곳에 눈을 돌리지 말아야 한다. 편집만 해도 그렇다. 유튜브에서 본 10분짜리 영상을 따라 제작해본 적이 있는데, 하루에 만 5시간씩 꼬박 한 달이 걸려서야 똑같은 영상을 완성할 수 있었다. 보기에는 별것 아닌 것 같았는데, 직접 해보니 생각과는 완전히 달랐다. 그러니 무언가 성취하고 싶다면 그 일에 완전히 몰입해야 한다. 시간을 투자하고 정성을 쏟아야 한다.

생각하기보다는 행동해야 하고, 화려함보다는 실속을 찾아야하며, 관심을 분산하기보다는 한곳에 집중해야 한다. 적어도 앞으로 한 달 동안만은 다른 배움을 멈추고 하루 2시간만 실행하는데 집중해보자.

회사는
무조건 다녀라

$+ + +$

꼬박꼬박 월급을 받다가 1년 이상 급여가 들어오지 않는 상황이라면 어떨까? 그 누구라도 불안할 것이다. 나는 1년 6개월간 무급 휴직을 썼다. 생활비는 대출 받은 5천만 원으로 충당했다. 휴직을 하고 대출을 받으면서 나는 자신감에 가득 차서 무엇이든 할 수 있을 것만 같았다. 하지만 한 달 두 달 시간이 흐르면서 상황이 달라졌다. 줄어드는 통장 잔고에 마음이 불안해지기 시작했고 점점 조급해졌다. 들어오는 돈 없이 있는 돈을 까먹으면서 생활하는 건 엄청난 스트레스라는 걸 그때 알았다. 그나마 아내와

나 둘이었을 때는 괜찮았다. 하지만 아이가 태어나면서 가족이 하나둘 늘어갈 때마다 그 무게감은 나를 압박했다. 지금 생각해 보면 무슨 자신감으로 그렇게 무모한 결정을 내렸는지 이해가 안 된다.

물론 지금도 새로운 일을 시작할 때마다 두려움이 몰려온다. 하지만 월급을 받는 직장인이기에 무모한 창업도 감행해볼 수 있고, 새로운 일을 시작할 때 마음이 조금은 가볍다. 만약 회사에 다니고 있지 않았다면 실패 후 일어서기가 쉽지 않았을 것이다. 물론 회사를 다니면서 부업을 한다는 건 정신적, 육체적으로 힘든 일이다. 두 배로 신경을 써야 하기 때문이다. 하지만 안정적인 기반 위에서 새로운 일을 시도하는 것과 새로운 일에서 성과를 내지 않으면 재기할 수 있는 여건이 아예 없는 것은 완전히 다르다. 조금은 덜 불안하고 대안이 있다는 생각이 들면 새로운 일을 할 때도 조금은 여유를 가질 수 있다.

내가 경험해본 일이기에 나는 어느 누구에게도 퇴사하고 본격적으로 새로운 일에 뛰어들라고 권유하지 않는다. 새로운 일을 시작할 때 '나는 강력한 멘탈의 소유자인가?' '내가 이 상황을 감당할 수 있을까?'라는 의문이 한 번이라도 떠오른다면 시작하지 않는 것이 좋다. 목표를 달성하더라도 항상 두려움을 안고 살아야 하기 때문이다. 나는 2022년에 들어서면서 월급 외 500만 원의 소득을 얻고 있다. 그렇다고 두려움이 없을까? 절대 아니다. 사업소득은 근로소득과는 확연한 차이가 있다. 언제 사라질지 모르는 불안감과 맞서 싸워야 한다. 내가 일을 쉬면 소득은 언제라도 끊어질 수 있다. 회사일과 부업을 병행하면서 영원한 불로소득이 없다는 것을 깨달았다.

당장 인플루언서가 되는 블로그나 인스타그램을 만들기는 어렵다. 퇴사를 하기 위해 월 1천만 원을 만들어내는 스마트스토어를 운영하기도 쉽지 않다. 그렇게 되기 위해서는 엄청난 시간과 열정을 투자해야 한다. 하지만 혼자서 하루 2시간 투자해서 한 달에 50~100만 원을 생활비로 충당할 수는 있다. 그 비법이 이 책에 숨어 있다.

지치지 않고
오랫동안 꾸준히

+ + +

직장에 다니는 건 만만치 않다. 지루하고 반복되는 일에 월급은 늘 제자리다. 이런 직장 생활에 지쳐 무언가 새로운 것을 시작하려 해도 솔직히 몸이 따라주지 않는다. 평일에 야근이라도 했다면 주말에는 온전히 휴식에만 매달려야 다음 주에 회사에 출근할 에너지가 생긴다.

육아도 마찬가지다. 둘째가 태어나고 새벽 수유를 맡으면서 전업주부들의 어려움을 조금이나마 이해할 수 있었다. 신생아는 2~3시간마다 한 번씩 깨서 밥달라고 울고, 기저귀 갈아달라고

운다. 그 시중을 다 들다 보면 피곤이 쌓이고 쌓여 나중에는 몽롱한 상태가 몇 달간 지속된다. 정신적, 육체적으로 엄청나게 힘든 일이다.

직장을 다니든 육아를 전담하든 누구나 힘들다. 그들이 퇴근하고 아이를 재우고 다시 컴퓨터 앞에 앉기란 쉬운 일이 아니다. 게다가 언제까지 얼마나 오랫동안 지속해야 성과가 날지도 막연하다. 힘들게 시작한 만큼 단기적인 성과가 나오지 않으면 대부분은 지치고 좌절한다.

나도 빠른 시일 안에 눈앞에 성과가 나오지 않으면 못 견디는 성격이다. 그래서 나는 '한 달'이라는 한계 시점을 설정했다. 스마트스토어를 지속할 수 있으려면 적어도 한 달 안에 주문이라도 들어와야 하고, 블로그로 브랜딩해서 돈을 많이 벌겠다면 한 달 안에 블로그체험단에 당첨되게 해야 한다고 계획을 세웠다. 계획은 성공했고, 그 성과로 나는 일을 지속할 수 있었다.

무언가를 좋아하거나 잘해서 꾸준히 하는 사람이 얼마나 될까? 일을 지속하게 만드는 건 목표의식과 성과다.

나는 천성적으로 글쓰기를 싫어한다. 그러다 보니 글을 잘 쓰지도 못하고, 글로 다른 사람들의 마음을 움직이는 것은 상상도 못한다. 그럼 나 같은 사람은 많은 사람들의 공감을 불러일으키고 감동을 주는 글쓰기를 절대로, 평생토록 할 수 없을까? 그러니 블로그나 인스타그램도 운영할 수 없을까? 그렇지 않다. 꼭 유려하게 글을 잘 쓰고, 글 쓰는 걸 즐기는 사람만이 블로그를 잘 운영할 수 있는 건 아니다. 마케팅을 잘해야만 물건을 팔 수 있는 것도 아니다. 명확한 목적의식을 가지고 시간을 투자하면 가능하다. 단, 꾸준히 지치지 말고 해야 한다. 그렇게 하다 보면 느리더라도 성과가 나타나고, 성과가 나타나면 그것이 일을 지속할 수 있는 동력이 된다.

예전에는 "힘들어도 열심히 해서 한 발짝 더 앞으로 나가야 한

SNS 재테크의 승부처는 명확한 목표의식과 실행력과 꾸준함에 있다. 이 세 가지만 갖고 있다면 누구든 원하는 부수입을 올릴 수 있다.

월급 말고 플러스알파, 온라인으로 돈 벌기

다"고 사람들을 채근했다. 하지만 지금은 그러지 않는다. 자신의 목표를 명확히 정하고, 그에 따라 자신만의 계획을 세워 꾸준하게 지치지 않고 하면 된다. 사람마다 처한 환경이나 삶의 목표가 다 다르다. 그런 사람들에게 일괄적으로 쉬지 말고 전력질주하라고 다그칠 수는 없는 일이다. 한 달에 50만 원의 부수입만으로 만족하는 사람, 한 달에 반드시 500만 원 이상의 부수입을 벌겠다는 사람, 나는 쉬엄쉬엄 인생을 즐기면서 살겠다는 사람 등 다양한 가치관을 가진 사람들이 있는 만큼 다양한 방법론이 있다.

단지 그 모든 사람들에게 꼭 전하고 싶은 말은 처음부터 모든 것을 쏟아붓지 말라는 것이다. 그러면 쉽게 지친다. 작은 성과를 보고 천천히 꾸준히 앞으로 나아가야 한다. 오랫동안 꾸준히 하는 사람을 당해낼 것은 세상 어디에도 없다.

N잡러가 되기 전

알고 있어야 할

작지만 중요한 기술들

키워드를
내 것으로

+ + +

SNS 부업을 시작할 때 가장 먼저 이해하고 있어야 할 중요한 개념은 '키워드'다. 키워드란 무엇일까? '데이터를 검색할 때 특정한 내용이 들어 있는 정보를 찾기 위해 사용하는 단어나 기호'를 뜻한다. 블로그에 글을 쓸 때는 철저히 키워드에 맞게 글을 작성해야 한다. 글을 열심히 잘 쓰는데도 내 블로그 글이 상위에 노출되지 않는다면 키워드를 놓치고 있기 때문일 가능성이 크다. 블로그에 글을 작성할 때 유의해야 할 점이 있다.

첫째, 내가 검색하는 검색어가 다른 사람도 선호하는 검색어라고 착각하면 안 된다. 글을 쓸 때는 항상 사람들이 어떤 검색어를 선호하는지 정보를 수집해야 한다. 블로그를 처음 운영하는 초보자일수록 더 그렇다. 주제가 좋고 글을 잘 쓰면 다른 사람들이 친히 찾아와서 내 글을 봐줄 것 같지만 그런 일은 거의 없다. 무작정 글을 열심히 많이 쓰는 게 중요한 게 아니라, 키워드를 연구해서 그에 맞는 글을 작성하는 것이 중요하다.

둘째, 키워드의 핵심 포인트를 알아야 한다. 검색하는 단어 순서만 바꾸어도 노출 빈도수에서 엄청난 차이가 난다. 만약 '깍다 깎다'의 뜻이 헷갈려서 검색을 해본다고 하자. 사람들은 어떤 단어를 더 헷갈려하고 궁금해할까?

출처: 블랙키위

이것은 '블랙키위'라는 검색 툴을 이용하여 '깎다 깍다'를 검

월급 말고 플러스알파, 온라인으로 돈 벌기

색해본 것이다. 검색 결과를 살펴보자. '깎다 깍다'로 키워드를 넣고 검색했을 때, 사람들은 한 달 동안 컴퓨터^{PC} 검색량 330, 모바일^{Mobile} 검색량 1,550만큼을 검색했다. 두 매체를 합한 검색량은 1,880이다(검색 시점마다 다르다).

예를 들어 지금이 3월이라면 2월 한 달 간 '깎다 깍다'를 검색해본 사람의 숫자가 1,880명이라는 뜻이다. 그렇다면 '월간 콘텐츠 발행량'은 무엇을 나타내는 것일까? '블로그 10'은 한 달간 블로그 발행량, '카페 1'은 네이버 카페에서 발행한 글의 양을 가리킨다. 곧 view 영역 총 11개가 한 달에 발행되었다는 뜻이다. 그다지 만족할 만한 검색량이 아니다. 그런데 검색하는 단어 '깎다 깍다'의 순서를 바꾸면 놀라운 마법이 일어난다.

출처: 블랙키위

월간 검색량의 단위가 확 뛰었다는 걸 알 수 있다. 거의 5배

차이가 난다. 검색하는 단어의 순서만 바꿨을 뿐인데 대체 무슨 일이 일어난 것일까?

이것이 키워드를 알아야 하는 이유다. 키워드를 어떻게 입력했느냐에 따라 노출빈도수가 확연히 차이 나는 것이다. 누군가는 5시간 동안 글을 쓰면서 내용을 보강하기 위해 참고자료를 보고, 띄어쓰기와 맞춤법과 문법까지 다 검색한 뒤 포스팅을 하는데도 1,880뷰에 그치고, 누군가는 단지 키워드의 순서를 바꿨을 뿐인데 8,960뷰를 넘는다면 너무 허무하고 억울한 일 아닌가. 한 달에 8,960명이 검색한다면, 하루에 대략 300명이 이 단어를 검색했다는 소리다. '키워드 순서'라는 한 끗 차이로 누군가는 블로그 노출이 유리해지고 누군가는 검색조차 되지 않는다면 어떤 선택을 해야 할지 명백해진다.

나는 글을 잘 쓰는 편이 아니다. 맞춤법, 띄어쓰기, 문법, 문장력, 어휘력 모든 것이 약하다. 그리고 글을 쓰기 시작한지도 얼마 되지 않았다. 물론 글을 잘 쓰고 맞춤법과 띄어쓰기까지 완벽하면 더할 나위 없이 좋을 것이다. 하지만 글쓰기에 자신이 없더라도 돈을 벌 수 있다. 그러기 위한 첫 번째 관문은 네이버의 알고리즘 노출 과정을 통과하는 것이다.

키워드를 알려면 키워드를 찾는 툴을 알고 있어야 한다. 블로그를 할 때 키워드 툴은 단 하나 '블랙키위'만 활용하자. 하나의 단어만 검색했을 뿐인데, 연관 키워드가 20개 넘게 나올 때도 있다. 횟수에 제한이 있다는 것이 가장 큰 문제이긴 하지만, 회원가입을 하면 횟수에 조금 여유가 생긴다. 비회원은 1분 3회로 검색을 제한한다.

'블랙키위'를 통해 사람들이 어떤 키워드를 많이 검색했는지 알았다고 해서 키워드에 대해 다 알게 된 것은 아니다. 검색어 툴을 아는 것도 중요하지만 키워드를 알기 위해서는 '자동완성 검색어'가 무엇인지 함께 알아야 한다. 네이버 검색창에서 '맥북'을 검색한다고 해보자

N	맥북			⌨ ︿ Q
Q	맥북			11.22.
	맥북 에어 m2			↖
	맥북 에어 m1			↖
	맥북 프로			↖
	맥북 에어			↖
	맥북 프로 m1			↖
	맥북 파우치			↖
	맥북 프로 16인치			↖
	맥북 캡쳐			↖
	맥북 초기화			↖
관심사를 반영한 컨텍스트 자동완성 ⊕				◯●
도움말 신고				자동완성 끄기

출처: 네이버

'맥북'이라고 검색했을 때 자동완성 검색어의 제일 아래쪽에 있는 단어일수록 검색량이 적다는 뜻이다. 네이버에서 검색할 때 상위노출되는 것 중 view 영역이 먼저 팝업되는 이유는 정보성 콘텐츠일 확률이 높고, '맥북 파우치' 같은 검색어는 검색할 때 파워링크, 네이버 쇼핑이 먼저 나온다. 이런 경우에는 정보성 글을 써서 노출이 되더라도 유입이 적을 수밖에 없다. 네이버는 사용자 기반 데이터를 보여주기 때문에 해당 카테고리 이용이 많은 순서로 활용된다.

이번에는 블랙키위에서 '맥북 강제종료'라는 키워드를 검색해보자.

키워드	월간 검색량 (Total)	블로그 누적 발행량
맥북 강제 재부팅	200	2,070
포토샵 강제종료	200	2,000
맥북 앱 강제종료	260	810
맥북 재부팅	780	16,500
맥북 전원 끄기	900	740
맥북OS	980	78,900
윈도우 강제종료	1,040	20,100
맥북 작업관리자	1,170	2,070
맥 강제종료	1,540	6,850

출처: 블랙키위

연관 키워드 9개가 뜨는데, 이중 가장 적합해 보이는 키워드가 '맥북 전원 *끄기*'다. 월간 검색량과 블로그 누적 발행량을 비교 분석해보면 알 수 있다. 블로그 누적 발행량이 많으면 그만큼 검색 시 상위노출될 가능성이 적다는 뜻이다. 게다가 검색량도 다른 검색어에 비해 적지 않은 편이다.

그렇다면 메인 키워드로 노출시킬 수 있는 키워드를 찾아내는 방법이 있을까? 물론 있다. 예를 들어 100일 된 아기가 새벽에 일어나 잠투정이 심해서 메인 키워드로 '잠투정'을 검색한다고 해보자.

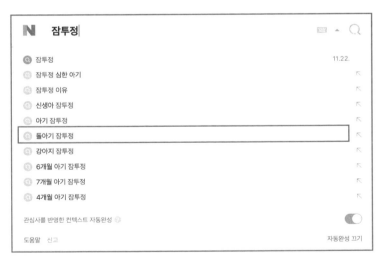

출처: 네이버

먼저 네이버에서 '잠투정'이라는 키워드를 넣고 아래 표시되는 자동검색어를 찾는다.

모두 10개의 자동완성 검색어가 뜨는데, 그중 아래쪽에 있는 '돌아기 잠투정'이 보인다. 이 단어를 블랙키위에 입력해본다.

그러면 월간 검색량과 블로그 발행량을 쉽게 확인할 수 있다. 이런 식으로 세부 키워드들을 찾아나서는 것이다. 키워드가 잘 생각나지 않으면, 참고로 제공하는 파일(https://bit.ly/3sr452b) 안에 있는 키워드 중 월간 검색량이 1,000대 혹은 그 이하인 키워드를 찾아 글을 써보는 것부터 시작해보자.

	A	B	C	D	E	F
1	키워드	PC	월간 검색량	월간 검색량	블로그 총 발행량	블로그 한달
114	2인옙떡 칼로리	50	760	810	310	2
115	택시 승차거부 신고	40	780	820	5,080	44
116	신한은행 모바일 통장사본	200	630	830	780	27
117	아이폰 움짤 만드는법	60	780	840	390	32
118	코카콜라 미니병	90	770	860	220	2
119	장미허브 순따기	40	820	860	720	9
120	운전면허 기능시험 준비물	90	770	860	280	2
121	델몬트 레트로 에디션	100	760	860	170	17
122	자다깨서 우는 아기	30	840	870	810	10
123	베이비풋스틱	50	820	870	150	2
124	귤껍질 차 효능	30	840	870	1,790	63
125	한글 글간격	610	270	880	77	1
126	페북 비활성화 푸는법	70	820	890	86	4
127	변리사 시험 난이도	180	710	890	390	5

　　나도 처음에는 키워드 찾는 데만 30분~1시간의 시간이 걸렸다. 그만큼 키워드를 찾는 것이 어렵기도 하거니와 신중해야 한다는 뜻이다. 정보성 글을 쓸 때는 적어도 1시간 이상의 시간이 소요된다. 그런데 '키워드'를 잘못 선택해서 소중한 1시간을 그대로 날려버린다면 굉장히 비효율적인 일을 한 것이다. 키워드를 모른다는 것은 모래 위에 성을 쌓는 것이다. 키워드는 노출을 유리하게 하기 위한 기초과정이다.

　　하나의 좋은 키워드를 찾았다면 해당 키워드에 상위노출된 블로거들의 채널에 들어가서 정보성 카테고리를 클릭한 뒤, 포스트를 꼼꼼히 살펴보는 것이 중요하다. 나는 '골반 틀어짐'이라는 키워드로 검색을 하고 상위 노출된 블로그를 찾아가보았다. 들어가

보니 '머리 아플때'라는 키워드가 보인다. 블랙키위에 이 키워드를 넣어보니 월간 검색량 17,400, 블로그 발행량 8,170이나 된다. 포화상태다.

그렇다면 이젠 연관검색어를 살펴볼 차례다. 검색창에 '머리 아플때'를 치고 연관검색어를 살펴보니, '울어서 머리아플때'라는 키워드가 보인다. 눌러보니 월간 검색량이 770, 블로그 월 발행량이 약 101건이다. 해볼 만한 키워드다. 딱 하나 '울어서'라는 단어만 추가했을 뿐인데 다른 검색 결과가 나타난다.

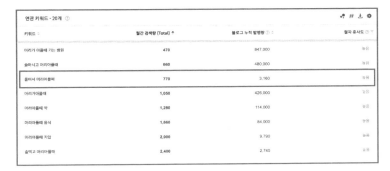

연관 키워드 · 20개	월간 검색량 (Total)	블로그 누적 발행량	철자 유사도
키워드			
머리가 아플때 가는 병원	470	847,000	높음
술마시고 머리아플때	660	480,000	높음
옆머리 머리아플때	770	3,160	높음
머리가아플때	1,050	426,000	높음
머리아플때 약	1,280	114,000	높음
머리아플때 음식	1,660	84,000	높음
머리아플때 지압	2,000	9,790	높음
술먹고 머리아플때	2,400	2,740	높음

출처: 블랙키위

여기서 멈추지 말고 한 번만 더 해보자. '침샘 부음'이라는 키워드를 찾아봤더니, 블로그 발행량은 괜찮은데, 월간 검색량은 아직 내 블로그 일일방문자수 대비 부담스럽다.

출처: 블랙키위

　　그러면 다시 한 번 '턱밑 부음'이라는 키워드를 검색해보는 것이다. 그다음부터는 지금까지 설명한 순서대로 진행하면 된다. 상위노출된 블로거에 들어가서 일일방문자수를 살펴보고, 파도를 타면서 다른 블로거들의 활동을 분석하는 것이다. 그런 식으로 탐색을 하다 보면 상위노출된 블로거들이 어떤 식으로 키워드를 잡고 글을 썼는지 조금씩 보일 것이다.

　　블로그 초보자는 주제를 정하기보다 키워드를 잡고 글을 쓰는 연습을 먼저 해야 한다. 그러면서 글쓰기 능력을 키우고, 체험단이나 기자단 활동을 하면서 조금씩 수입이 생기면 그때부터는 재미도 있고 탄력도 받을 것이다. 이런 성과가 보일 때까지는 무조건 양으로 승부해야 한다. 콘텐츠의 질을 먼저 생각하면 앞으로 나아가지 못한다.

브랜드 블로그냐
수익형 블로그냐

$+ + +$

    블로그를 처음 운영하려는 사람들에게는 조금 생소한 용어인지도 모르겠다. 브랜드 블로그는 개인을 드러내고 브랜딩을 한다는 뜻이다. 수익형 블로그는 말 그대로 블로그 포스트를 통해서 수익을 내려는 목적을 지닌 블로그를 가리킨다. 만약 단 한 번도 블로그를 운영해보지 않은 사람이라면 수익형 블로그로 시작하라고 권유하고 싶다.

    이익이 되지 않는 글쓰기를 꾸준히 할 수 있는 사람은 많지 않다. 글쓰기 자체를 좋아해서 블로그에 글을 쓰는 것만으로 만족한다면 모를까, 그런 사람이 아니라면 목표부터 경제성을 생각하는 게 좋다. 생계에 도움이 되는 블로그를 운영하고 싶다면 처음부터 수익을 내는 블로그를 지향해야 한다.

중요한 것은 수익형 블로그로 시작해서 단기적인 보상체계를 만들어나가더라도 나중에는 브랜드 블로그의 정체성을 가져가야 한다는 점이다. 자신이 닮고 싶은 블로그를 꾸준히 관찰하고 벤치마킹해서 광고 생태계를 이해해야 한다. 우리가 가장 앞에 두어야 할 목표는 블로그체험단에 선정되는 것이다.

일일방문자수를
대조하라

+ + +

    경쟁력 있는 키워드를 찾았는데도 노출이 안 돼서 좌절하고 있는 사람들이 분명 있을 것이다. 뭐가 문제인지조차 몰라서 고칠 수도 없는 상황이라면 어떻게 해야 할까? 블로그를 처음 운영하는 사람이라고 가정했을 때 가장 먼저 해보아야 할 것은 하루 방문자(일일방문자)를 대조해보는 것이다. 네이버 웨일을 이용하면 일일방문자수를 쉽게 볼 수 있다.

    네이버 웨일 오른쪽 상단(왼쪽에 표시될 수도 있다) 빨간색 박스 표시 '그린닷'으로 들어가면 모바일에서의 검색 결과를 PC에서

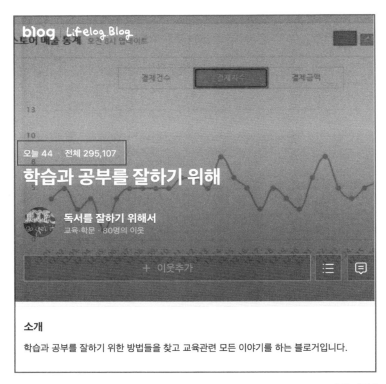

볼 수 있는 서비스가 도입되었다. 그 아이콘을 누르고 키워드 검색 후 view 영역에서 해당 블로그를 클릭하면 해당 시각 방문자수를 알 수 있다. 위에 제시한 '학습과 공부를 잘하기 위해' 블로그는 방문자수가 44명이라는 것을 확인할 수 있다. 다이아로직/C-랭크로직 같은 용어는 설명하지 않으려 한다. 그것을 이해하면서 포스팅을 하다가는 힘들고 지쳐서 우리가 목표하는 '블로그 수익화'에서 멀어진다.

이렇게 일일방문자수를 확인하는 이유는 '해당 키워드'에서 '상위노출' 하고 있는 사람들의 방문자수 대비 노출 빈도를 확인하기 위해서다. 이것이 절대적인 지표는 아니지만, 내 블로그의 일일방문자수가 1,000대가 아닌데, '해당 키워드' 방문자수가 1,000대 이상의 블로거들만 상위노출을 점령하고 있다면 내가 노려볼 만한 키워드가 아니라는 생각을 가지고 과감히 내가 찾은 키워드를 내려놓아야 한다. 상위노출되고 있는 키워드 중 일일방문자수가 100명 이하라면 초보자도 도전할 수 있는 키워드라고 생각해야 한다.

'키워드'를 공략해서 30건 이상 포스팅을 했는데도 일일방문자수가 200~300조차 넘지 않는다면 키워드에 대한 이해가 부족한 것이다. 기존에 가지고 있던 생각, 지금까지 배운 것들을 다 내려놓아야 한다. 많은 사람들이 내게 "블로그를 처음 하는데 방문자수를 단기간에 늘릴 수 있을까요?"라고 걱정 반, 기대 반의 심정으로 묻곤 하는데, 할 수 있다. 실제로 내 강의를 들은 한 수강생은 키워드를 잘 잡고 글을 쓰기 시작해서 25개의 포스팅을 올린 시점, 그러니까 정확히 31일 만에 일일방문자수 1,000명을 이뤄냈다.

그 비법이 뭔지 궁금해하는 사람들이 많은데, 사실 별로 해줄 말이 없다. 아주 간단하기 때문이다.

- 글자수 2,000자 이상
- 제목의 제일 앞에 핵심 키워드 배치, 제목은 짧을수록 좋다
- 본문에서 핵심 키워드를 3~5번 언급할 것
- 해시태그는 핵심 키워드 딱 하나만 입력할 것

이것이 전부다. 간단한 비법이지만, 나는 이것을 알아내기 위해 수백 개의 글을 쓰며 실패를 경험했다. 상위노출된 키워드와 블로그를 분석했고, 3개의 새로운 블로그를 일부러 더 만들어서 각기 다른 키워드로 수백 개의 글을 포스팅하고 효율을 측정했다. 블로그를 3개나 더 만든 이유는 '초보 블로그'의 노출을 테스트해보기 위해서였다. 같은 블로그에 계속 글을 쓰면 더 이상 '초보 블로그'가 아니기 때문이다. 내가 알고 싶었던 것은 블로그에 대해 '전혀 모르는 완벽한 초보자'가 어떻게 하면 더 빨리 상위노출될 수 있는가였기 때문에 초보 블로거가 되어 실험해보는 방법밖에 없었다.

새로운 블로그에 어떨 때는 키워드를 중복해서 10개 이상도 써보고, 해시태그도 10개 이상 지정해보았다. 나는 파워블로거가

아니라서 그 상태에서 돈을 벌 수 있는 방법, 초보자의 시각으로 노출시킬 수 있는 방법을 찾아내기 위해 수백 개의 글을 썼다. 그래서 알아낸 방법이니 믿고 따라도 된다.

그렇다면 이제 키워드를 통해 일일방문자수를 올리는 방법에 대해 이야기해보자. 예를 들어 '골반 아플 때'가 하나의 키워드라면 '골반 아플 때 좋은 운동 및 식단' 이런 식으로 짧고 간결한 키워드를 문장의 제일 앞쪽에 넣고 뒤에 수식어를 추가하는 식으로 포스트를 발행하는 게 좋다.

그러면 이와 관련된 키워드를 검색했을 때 상위노출되고 있는 블로그들이 어떤 식으로 글을 썼는지 살펴보자.

상위노출이란 모바일이나 PC의 통합검색어 영역 내에서 노출되는 것을 가리킨다. 이 영역으로 들어와야 내 글이 노출에 유리하다고 말한다. 이 영역으로 들어오지 않는다면, 사람들이 내 블로그 글을 클릭해줄 확률은 대단히 낮다.

네이버에 '골반 아플 때'라고 검색을 하면, 통합 부분이 초록색으로 활성화된다. 그 오른쪽 옆으로 지식in, VIEW, 이미지, 인플루언서, 동영상, 쇼핑, 뉴스, 어학사전 등의 검색옵션이 순서대로 배치된다. 하지만 그 외의 영역인 '더보기'를 클릭하는 사람이 과연 몇 명이나 있을까?

출처: 네이버(검색 결과는 검색할 때마다 달라진다.)

따라서 '더보기'를 클릭하지 않아도 검색량과 발행량이 적은데 노출되고 있으면서 블로거들의 일일방문자수도 100 이하로 적다면 해볼 만한 키워드라는 뜻이다.

내 강의를 듣는 수강생 중에 "저는 문서 발행수가 낮은 키워드를 찾아서 공략했는데 노출이 안 돼요"라고 답답해하는 분이 있었다. 그분에게 "그렇게 해서 상위노출된 경험이 얼마나 되시나요?"라고 반문했더니 "그런 적이 없어요. 잘 되지 않아요"라는 답이 돌아왔다.

예를 들어 설명해보자. 노트북을 사용하는 사람들은 경험해보았을 텐데, v3 백신이 자주 열린다. 그래서 v3 백신을 검색해서 키워드를 몇 개 찾아보니, 'v3 무료백신 다운로드'라는 키워드가 보였다.

출처: 블랙키위

월간 검색량이 29,200, 블로그 발행량은 겨우 24건이다. 백분율 %로 따지면 0.08219%로 거의 발행되지 않은 수치다. 이 수치를 보고 '아, 이 키워드로 글을 쓰면 상위노출될 수도 있겠구나'라고 생각했다가는 어려움에 처한다. 해당 키워드로 검색해서 블로거들의 일일방문자수를 살펴보아야 한다. 상위노출된 키워드의 가장 상단 블로거의 일일방문자수가 1,000~10,000명 정도로 다양하다. 그럼 어떤 키워드를 써야 할까?

이제 막 시작하는 블로그라면 'v3 라이트'라는 키워드로 글을 발행하자. 일일방문자수 1,000 이하까지 모두에게 적용되는 내용이다.

'v3 라이트'로 검색하면 월간 검색량 910, 월간 블로그 발행량이 8이다. 이렇게 보면 'v3 무료백신 다운로드'라는 키워드에 비해 발행량 측면에서는 비율이 높은 수치라고 할 수 있다. 하지만 'v3 라이트'라는 검색어로 상위노출된 블로그의 일일방문자수를 보면 100명 정도 되는 블로그가 존재한다. 발행일도 2021년이다. 검색량이 910이라서 아쉬울 수 있다. 초보자도 이 정도 수준의 키워드를 거르는 경향이 있다. 한 달에 검색하는 사람의 수가 별로 없다고 생각하기 때문이다. 하지만 910 나누기 30(일)은 하루에 약 30명이다. 검색을 하고 나서 첫 번째 블로그를 클릭할 확률이 적어도 70% 이상이다. 그러면 최소 하루 30명은 이 키워드만으로 확보된다. 이런 키워드만 찾는 방식으로 글을 써도 된다. 초보 블로거는 한 달간 월간 검색량 1,000 이하의 키워드를 공략하자. 상위노출 경험이 우선이다. 1~2주 글을 쓰고 상위노출된 글이 50~60%가 넘어가기 시작하면, 방문자수가 늘어나면서 블로그 운영이 재미있어지기 시작한다. 글을 잘 쓰려고 노력하게 된다. 누구나 그렇다. 적당한 피드백이 있어야 신이 난다. 노출 경험 없이 무작정 글을 쓰다 보면 의욕이 꺾이고 글을 잘 쓰고 싶은 마음도 점차 사라진다.

하나만 더 강조하자면, 힘을 빼고 글을 써야 한다. 처음부터 글을 잘 쓰는 사람은 없다. 처음부터 호감 가는 블로그를 만들 수는 없다. 그렇다고 실망하지는 말자. 우리가 블로그를 운영하는 가장 큰 이유는 이웃수를 늘려서 서로 긴밀하게 소통하려는 게 아니다. 네이버 알고리즘에 선택되는 것이 우리의 목표다.

이미지도 영상도
유일하게 새롭게

+ + +

 네이버는 유사문서, 이미지, 글들을 복사해서 붙여넣기 한 이력이 있는 블로그는 걸러내서 노출을 막는다. 따라서 다른 블로그와 같은 정보성 글을 쓰더라도 추가적인 정보를 제시해야 한다. 예를 들어 '신생아 잠투정'이라는 키워드로 본문 내용을 쓸 때, 아이의 피부, 분유의 양, 배변의 정도를 함께 쓸 수 있다. 내 블로그에 정보를 쓰고 싶을 때 정보를 찾아보는 툴은 두 가지다.

 첫째, 도서관에서 관련 도서를 빌려서 내용을 쓰고, 출처를 밝힌다. 책 내용의 전부를 발췌하는 것은 문제가 되지만 해당되는 부분의 글을 쓰고 출처를 표시한다면 크게 문제되지 않는다. 글을 쓴 저자나 출판사에도 간접홍보로 도움이 되기 때문이다.

둘째, 유튜브 정보를 요약하고 출처를 표시한다. 유튜브를 본 뒤 공부한 내용을 쓰고 출처를 밝힌다면 전혀 문제되지 않는다.

좋은 정보를 많이 담아 포스트를 발행하더라도 글만 한가득 있는 것보다 이미지나 영상을 적절히 활용하는 게 블로그 방문자의 흥미를 불러일으키고 그들을 몰입시킬 수 있다.

블로그에 쓸 수 있는 가장 좋은 이미지는 직접 촬영한 이미지다. 즉 휴대전화로 찍거나 카메라로 찍은 사진을 PC로 옮겨와서 글을 작성하는 것이다. 이 작업을 할 때 카카오톡 PC버전을 설치하고, '나'에게 사진을 업로드한 후 다운로드 받아 활용하면 된다.

무료 이미지를 활용하는 것도 좋은 방법이다. 픽사베이, 픽셀스, 언스플래시가 대표적인 무료 이미지 제공 사이트다. 하지만 여기서 알아두어야 할 점은 무료 이미지는 자주 쓰지 않아야 한다는 것이다. 네이버가 새로운 이미지로 인식해야 노출면에서 유리하다.

가끔 다른 블로그에서 동영상이 삽입된 포스트를 본 적이 있을 것이다. 동영상을 삽입하면 내 블로그에 머무는 체류시간을 늘려준다. 하지만 내가 직접 동영상을 만들기란 쉽지 않다. 이럴 때 대안이 있다. 바로 네이버TV의 영상을 가져오는 것이다. 네이버TV로 들어가서 '스마트스토어 판매자센터 가입'이라고 검색해 보자. 검색 결과 url을 그대로 블로그에 붙여 넣으면 재생 모양이 뜨면서, 블로그와 네이버TV가 연동된다는 것을 확인할 수 있다.

하지만 블로그 내용을 보충하거나 이해를 도와준다고 유튜브 영상을 링크로 남겨주는 것은 추천하지 않는다. 출처만 간단히 표기하는 게 좋다. 왜냐하면 네이버는 외부 링크를 싫어하기 때문이다. '네이버 로고'가 박힌 브랜드를 파는 가게 안에서 '유튜브 로고'가 박힌 브랜드를 파는 것은 당연히 주목받을 수가 없다. 내 가게에서 다른 상품을 팔고 있다고 판단되면 노출도를 늘려주지 않는다.

무시하면 안 되는
몇 개의 작은 팁

+ + +

    글을 다 썼으면 포스트를 올리기 전에 세부적인 것까지 모두 확인해야 한다. 잘 정리된 포스트를 더 많이 노출되게 하기 위해서는 해시태그 하나에도 신경을 써야 한다. 가령, 글을 다 쓰고 '띄어쓰기'라는 해시태그를 입력하고 싶다면 #띄어쓰기라고 쓰고 난 뒤, 반드시 스페이스바 혹은 엔터 키를 눌러서 음영처리된 것을 확인하고 발행 버튼을 눌러야 한다. 초보자들이 자주 하는 실수이니 반드시 주의해야 한다.

카테고리	[챌린지 프로그램] 스마트스토어 개척기	⌄

주제 비즈니스·경제 >

공개 설정 ◉ 전체공개   ○ 이웃공개   ○ 서로이웃공개   ○ 비공개
모든 사람이 이 글을 볼 수 있습니다.

발행 설정 ☑ 댓글허용   ☑ 공감허용   ☑ 검색허용   ︿
☑ 블로그/카페 공유 본문 허용 - (?)   ☑ 외부 공유 허용 (?)

☐ 이 설정을 기본값으로 유지

태그 편집 | #띄어쓰기 #태그 입력 (최대 30개) |

발행 시간 ◉ 현재   ○ 예약

☐ 공지사항으로 등록   ✓ 발행

출처: 네이버 블로그

이웃과 활발히 소통하는 것은 당연히 좋다. 그렇다고 이웃이 많아야 하는 것은 아니다. 이웃수는 20명이 채 되지 않는데도 일일방문자수 1,000명 이상을 달성하는 것은 초보자도 가능하다. 네이버 블로그의 검색 결과는 이웃수와 관계없이 검색 노출기반이라는 뜻이다.

인스타그램과는 전혀 다른 시스템이다. 인스타그램은 '팔로워 수'나 '이웃 소통'을 굉장히 중요하게 생각한다. 광고주들은 이웃과 활발하게 교류하고 있는 개인에게 체험단이나 제품 협찬을 제안한다. 하지만 수익형 블로그는 다르다. 중요한 것은 '일일방문자수'다.

또한 블로그에 글을 쓸 때는 무분별하게 동일한 키워드를 본문에 쓰지 말아야 한다. 예를 들어 키워드가 '골반 틀어짐'인데 '골반'이라는 키워드를 수십 번 넘게 넣으면 안 된다. '골반 틀어짐' 전체가 키워드인데 '골반'이라는 단어의 무분별한 중복으로 인해 노출이 떨어질 수 있다. '골반 틀어짐'이라는 뾰족한 주제보다 '골반'이라는 큰 주제로 영향을 끼치게 되는 것이다.

글을 쓸 때도 마찬가지다. '글쓰기 잘하는 방법'이라는 주제로 글을 쓰면 당연히 '글쓰기'라는 단어가 많이 들어간다. 이때 '그것' '이것' '일기쓰기' '필사' '책쓰기' 등 정확하고 다양한 단어로 바꿔서 쓰는 게 좋다. Ctrl+F를 통해 해당 키워드가 몇 번 들어갔는지 최종적으로 확인할 수 있다.

출처: 네이버 공식 블로그

글쓰기가 귀찮아서 외부글을 복사 붙여넣기 하는 것도 지양해야 한다. 기계적으로 대량 생산하거나 복사한 글도 저작권 관련해서 문제가 되니 주의해야 한다. 네이버 공식 블로그에서는 복사 붙여넣기를 해도 문제가 없다고 하지만, 이는 반대로 말해 스팸문서로 분류될 만큼 다량의 반복적 포스팅이라면 문제가 된다는 말이다. 짧은 글의 복사 붙여넣기는 괜찮다. 그러나 초보자가 처음부터 모든 것을 복사 붙여넣기를 할 경우, 글쓰기 근육이 자라나지 않기에 장기적으로 N잡러가 가져야 하는 글쓰기 기술을 단련하는 데는 좋지 않다.

글이나 사진 등에 내용과 무관한 관련 없는 개인정보가 포함되면 안 된다는 점도 기억해야 한다.

또한 앞에서도 언급했지만 네이버 블로그에 글을 쓸 때는 네이버 채널 내에서만 노는 것이 중요하다. 네이버 블로그와 네이

월급 말고 플러스알파, 온라인으로 돈 벌기

버 스마트스토어를 연결시키는 것은 전혀 문제가 되지 않지만, 외부에서 유입되는 쿠팡, 유튜브, 제휴마케팅(애드픽) 등의 링크는 걸어두지 않는 게 좋다.

포스트 제목에는 특수문자나 괄호를 쓰지 말고, 필요한 내용만 간추려야 한다. 물론 키워드와 무관한 내용을 제목에 추가하지 않는 것도 중요하다.

이렇게 했는데도 내 글이 상위노출이 되지 않아 고민이 많은 사람들에게 네이버 공식 블로그에 올라온 글을 소개하고 싶다. 포스트를 발행하는 데 큰 도움이 될 것이다.

> ""
> *Q. 내 글이 갑자기 상위에 노출되지 않아요.*
> ""
>
> UGC 검색에서는 사용자들이 직접 체험하고 진심으로 공유한 경험/의견/리뷰를 우대하는 알고리즘이 적용되어 있습니다.
> 반대로 검색 사용자들이 오해할 수 있는 행위를 반복함으로써 특정 페널티가 쌓여 결국 업데이트 시점에 맞춰 랭킹에서 불이익을 받는 경우가 종종 있었습니다.
>
> - 업체로부터 물품/서비스/기타 금전적 지원을 받았다면 모든 글 하단에 명확하게 표기해야 합니다.
> (공정거래위원회 '추천 보증 등에 관한 표시·광고 심사지침')
> 예를 들어, 원고료 등의 금전적 지원을 직접 받은 경우에만 하단 표기하고 음식점에서 식음료 쿠폰을 지원받은 경우에는 명확히 표기하지 않는 등 임의적으로 혼용한 경우, 알고리즘이나 신고에 의해 불이익을 받을 수도 있습니다.
>
> - 지나치게 많은 양의 대가성 후기들은 다른 진성 글들에도 영향을 줄 수 있습니다.
> 예를 들어, 대가성 후기를 지나치게 반복적으로 등록할 경우 해당 행위가 알고리즘에 영향을 주어 정상적으로 작성한 다른 글들도 불이익을 줄 수 있습니다.

출처: 네이버 공식 블로그 https://blog.naver.com/naver_search/221849996116

블로그를 만들 때 카테고리를 정하는 것도 중요하다. 2~3가지 정도로 정하는 게 좋다. 누누이 강조했지만, 일상적인 글보다는 정보가 많이 담길 수 있는 주제가 좋다. 그러니 정보성 포스팅을 할 수 있는 카테고리를 선정해보자. 하지만 카테고리 중에 눈에 띄는 것이 전혀 없다면, 건강 정보를 알려주는 것이 가장 안전하다. 맛집이나 상품 리뷰를 메인으로 블로그를 운영하는 건 추천하지 않는다. 경쟁이 치열하고, 마케팅회사가 이미 자리를 잡고 있기 때문이다.

국내 여행이나 세계 여행 카테고리도 사람들이 정보를 많이 찾아볼 법하지만, 매번 여행을 가야 하고 포스팅을 해야 한다는 점에서 부담스러울 수밖에 없다. 포스팅이 즐겁지 않으면 블로그를 오래 지속할 수 없다. 그러니 다양한 주제에 관심을 열어두고, 방문자를 잘 흡수할 수 있는 키워드를 찾아서 정리하고 노출시

전체보기 (114) EDIT
- 서울 맛집 리스트 (56) ▲
  - 송파구 맛집
  - 강남구 맛집
  - 강서구 맛집
  - 노원구 맛집
  - 양천구 맛집
- 체험 / 리뷰 후기 (21)
- 경기 맛집리스트
- 인천 맛집 리스트
- 대구 맛집 리스트
- 대전 맛집 리스트
- 부산 맛집리스트

- 우리말 / 정보
- 건강 교육 유용한팁
- IT 정보

출처: 네이버 공식 블로그

켜야 한다. 왼쪽에 제시된 실제 블로그의 카테고리를 한번 살펴보자.

이 블로거는 맛집 블로그를 운영한다. 대부분 체험단으로 진행한 내용들이다. 일일방문자수는 200~300을 꾸준히 유지하고 있다. 맛집 키워드만으로 이런 결과를 내고 있는 걸까? 그렇지 않다. 앞서 이야기했듯이, 맛집이나 상품 리뷰는 마케팅회사 때문에 경쟁이 치열하다. 그러면 이 블로거는 어떤 카테고리로 200~300대의 일일방문자수를 유지하는 걸까? 주력 포스팅은 무엇일까? '우리말' 카테고리다. '깍다 깎다'와 같은 포스팅으로 일일방문자수를 늘리고 있는 것이다.

무엇으로 경쟁력을 유지할 것인가를 신중하게 결정해서 블로그를 운영해야 한다. 경쟁이 치열한 카테고리일수록 나의 경쟁력은 낮아진다.

적은 시간

투자 대비 쏠쏠한

7개의 N잡들

소상공인을 돕는 마음,
체험단 되기

+ + +

　블로그 체험단이란 업체로부터 무료 또는 할인받은 서비스를 제공받아 블로그에 체험 후기를 남기는 활동이다. 쉽게 말해 해당 체험을 의뢰한 업체에 관한 포스팅을 통해 그 업체가 더 많이 노출될 수 있게 기회를 제공하는 것이다. 업체는 무료 또는 할인 가격으로 제품을 제공하고 블로거는 포스팅을 통해 '시간'으로 비용을 지불하는 것이다. 예전에는 직접 전단지를 뿌려서 자신의 업체를 홍보했다면, 지금은 고객에 의해서 실시간으로 업체를 홍보하는 것이다.

체험단 활동은 업체뿐만 아니라 체험하는 사람에게도 이득이 된다. 내 경험을 이야기해보자면, 나 또한 카페를 창업한 이후 어떻게든 홍보를 해야 했는데, 운영과 홍보를 동시에 하는 것이 말처럼 쉽지는 않았다. 그때 체험단을 의뢰해보기로 결정했다. 체험단 활동을 하는 사람들은 일반인들보다 정성스레 사진을 찍고 포스팅에 신경을 쓴다. 소상공인을 돕는 마음이 활동의 배경이 된 듯도 했다. 장사는 어렵고 자리 잡기가 쉽지 않다. 그러니 체험단이 한 팀이라도 와서 홍보를 해주는 것이 정말 너무 감사했다. 내가 블로그를 하게 되면 자영업자들을 위해 체험단 활동을 열심히 해야겠다고 생각한 계기가 되었다. 내가 힘든 상황을 겪어봤기에 체험단 서비스가 업체 입장에서는 큰 도움이 되는 꼭 필요한 활동이라는 생각이 들었다.

자영업자 대부분은 코로나로 힘든 상황을 겪어봤기 때문에 어떤 체험단이라도 와서 가게를 홍보해주길 바란다. 체험단의 후기 한 번으로 단 한 명의 고객이라도 더 방문한다면 고마운 일이기 때문이다. 체험단 입장에서도 그렇다. 나는 블로그를 운영하는 사람들에게 체험단 활동은 반드시 한 번쯤 경험해보라고 권한다. 경제적으로도 도움이 될 뿐만 아니라 업체에도 도움이 되는 일이기 때문이다.

체험단으로 활동하면 제일 좋아하는 사람은 가족이다. 내 강

월급 말고 플러스알파, 온라인으로 돈 벌기

의를 들었던 한 수강생은 평범한 주부였는데, 한 달에 많게는 100만 원 상당의 음식 및 제품을 제공받는다. 그녀는 외벌이 하는 남편을 도와 가사 경제에 조금이라도 보탬이 되니 너무 감사한 일이라며 기뻐했다. 바로 이런 것이 블로그 활동을 지속할 수 있는 가장 큰 동력이지 않을까?

체험단에 선정되면 정성스레 포스팅을 해야 한다. 글을 잘 쓰고 사진을 잘 찍는 활동이 전부가 되어서는 안 된다. 앞으로 그 매장을 찾아갈 고객의 입장에서 주차시설의 위치나 이용 방법, 찾아가는 방법, 주차요금의 유무, 화장실의 위치 등 사소한 정보성 내용도 꼼꼼하게 전달하는 게 중요하다. 이런 사소함이 업체에 도움을 줄 뿐만 아니라, 내 포스트의 차별점이 된다.

체험단 활동을 권유하는 이유는 단지 물질적인 이유에서가 아니다. 체험단을 통해 온라인 생태계를 이해하는 데 도움을 받을 수 있기 때문이다. 서비스 업계 종사자들은 어떤 식으로 장사를 하는지, 어떻게 이익을 내는지 등을 간접적으로 배울 수 있다.

다음은 체험단 활동을 하기 위한 사이트 모음이다. 각 사이트에 들어가서 가입을 하고 체험 신청을 눌러보자.

순위	체험단 이름	사이트 주소
1	레뷰	https://www.revu.net/
2	서울오빠	https://www.seoulouba.co.kr/
3	놀러와체험단	https://www.cometoplay.kr/
4	링블	https://www.ringble.co.kr
5	리뷰플레이스	https://www.reviewplace.co.kr/
6	포블로그	http://www.4blog.net/
7	오마이블로그	http://www.kormedia.co.kr/
8	티블	https://tble.kr
9	디너의여왕	https://dinnerqueen.net
10	에코블로그	https://echoblog.net
11	블로그원정대	http://blog.naver.com/ajw4151
12	모두의 블로그	http://www.modublog.co.kr
13	어디야 체험단	http://odiya.kr
14	리뷰통	http://reviewtong.co.kr/
15	슈퍼멤버스	https://www.supermembers.co.kr
16	다나와체험단	http://event.danawa.com/experience
17	원스타체험단	https://onesbyblog.co.kr/
18	시원뷰체험단	https://www.sioneview.com/
19	픽미	https://www.pick-me.kr/
20	파블로체험단	https://blog.naver.com/joungkjj

월급 말고 플러스알파, 온라인으로 돈 벌기

21	미스터블로그	http://www.mrblog.net/
22	구구다스	https://99das.com/
23	블로그주민센터	http://www.from-blog.com/
24	착한리뷰	http://www.chakanreview.com/
25	마케팅쉐프	https://blog.naver.com/goodtaster8
26	똑똑체험단	https://cafe.naver.com/alllmarket
27	씽씽체험단	http://www.singsingbear.com/

물론 사이트에 가입한다고 아무나 체험단에 선정되는 건 아니다. 하루 일일방문자 100명 이상, 최소 20개 이상의 포스팅 후에 신청해야 한다. 블로그를 시작하기 전에 각 사이트에 가입해놓으면 블로그 활동을 지속하는 데 동기부여가 되기도 한다.

돈이 되는 글쓰기,
기자단 되기

+ + +

    창업을 하고 나니 무척 불안했다. 언제쯤 자리를 잡을까 조바심이 생기기도 했고, 늘 무언가에 쫓기는 기분도 들었다. 그래서 온라인 마케팅을 공부하기 시작했다. 그때 접했던 것이 '기자단'이었다. '기자'란 신문, 잡지, 방송 같은 매체에 실을 내용을 취재하여 기사를 쓰거나 편집하는 사람을 가리킨다. 이런 활동을 일반인들이 진행하는 것이 바로 기자단이다. 실제로 대기업이 신제품을 출시할 때, TV 광고뿐 아니라 기자단을 통해 신제품을 대중에게 노출시킨다. 체험단도 있는데 왜 기자단까지 존재하는 걸까? 기자단의 형태에는 크게 두 가지가 있다.

첫째, 소상공인에게 직접적인 도움을 주는 기자단이다. 자영업자와 네이버 블로그를 소유하고 있는 사람들을 광고업체에서 연결시켜주면, 자영업자가 사진과 원고를 모두 준비해서 광고업체에 전달하고, 기자단으로 선정된 블로거는 그 자료를 토대로 그 업체를 체험했다는 형태로 글을 써주는 것이다. 세금을 제외하고 원고료를 직접 받기도 한다. 일종의 광고비다. 초보자는 보통 5,000~20,000원까지 받을 수 있다. 하지만 이런 기자단 방식은 추천하지 않는다. 네이버는 직접 촬영하고 작성한 창작물을 좋아하기 때문이다. 다만 이런 기자단의 장점은 직접 돈을 받을 수 있다는 점이다. 하지만 업체에서 자료를 중복해서 보냄으로써 유사한 포스트가 생성될 수도 있으니 주의해야 한다. 이런 방식의 기자단 활동은 앞에서 소개한 체험단 사이트에서도 신청할 수 있다.

둘째, 관공서나 시군구와 관련된 기자단이다. 적게는 3개월, 많게는 1년 동안 활동하는 이런 형태의 기자단은, 일정한 조직을 갖춰서 활동의 시작을 알리는 발대식도 진행한다. 즉 해당구와 지역을 알리는 '기자'가 되는 것이다. 구청장 혹은 시장의 위촉장을 받고 서포터즈증도 발급받는다. 해당 시나 구의 주요 행사에 참여할 수 있으며, 소정의 원고료도 지급된다. 이들은 카드뉴스 제작, 리포트, 촬영 지원, 콘텐츠 기획, 대본이나 촬영을 지원한다. 지역사회에 기여하는 기자단 활동을 다양한 사람들과 함께한다는 점에서도 의미가 있다. 각종 공공기관에서 활동하는 기자단은 '나'를 드러내야 한다는 점에서 심리적 저항감이 생기지만, 시군구를 살리고 돕는 활동이라는 점에서 의미를 찾을 수도 있다.

체험단으로 활동해보고, 이후 포스팅에 자신감이 붙으면 기자단도 서서히 경험해보자. 기자단에 지원하고 싶다면 각 시군구의 도시재생 지원센터를 검색해서 공지사항이나 모집요강을 확인하면 된다.

글만 써도 돈이 들어오는 네이버 애드포스트 vs 달러 받는 구글 애드센스

+ + +

글을 써두기만 해도 돈이 들어오는 게 가능할까? 네이버 블로그와 티스토리 블로그의 애드포스트, 그리고 구글 애드센스가 그것인데, 모두 게시글에 있는 광고를 클릭하면 일부 금액이 적립된다.

애드포스트는 미디어에 광고를 게재하고 광고에서 발생한 수익을 배분받는 광고 매칭 및 수익 공유 서비스다. 금액도 10원 단위부터 10,000원 단위까지 천차만별이다. 사람들이 광고성 글의 후기를 읽고 제품을 구매하기도 한다. 사람들은 여전히 구체적인 정보를 확인하기 위해 네이버 검색 결과를 자주 활용한다. 애드포스트로 수익을 낼 수 있는 방법은 네이버 포스트, 카페, 블로그 등이다.

가장 쉽게 접근하는 방식이 네이버 블로그다. 큰 금액은 아니지만 체험단을 병행하며 운영하다 보면 소소한 금액이 쌓이기 시작한다. 신청 방법은 간단하고 승인 절차도 까다롭지 않다. 어떤 기준이 정해진 것은 아니지만, 어느 정도 포스팅이 쌓였을 때 신청해보는 게 좋다.

구글 애드센스는 유튜브로 받는 방식도 있지만, 카카오 티스토리 블로그로 수익을 받는 방법도 있다. 그 방법에 대해 알아보자.

티스토리 블로그의 글은 포털 사이트인 '다음'과 '구글', '네이버'에 각각 노출되고, 광고 수익은 달러로 받는다. 애드포스트의 광고 수익에 비해 애드센스가 많은 편이다. '애드 고시'라는 별명이 붙을 정도로 승인 절차가 까다롭다. 왜 그런 별명이 붙었는지는 직접 해보니 이해가 됐다. 30개의 글을 올리고 처음으로 애드센스 승인을 받으려고 시도했는데 거절당했다. 70여 개 글이 쌓이고 나서야 승인을 해주었다. 그러니 네이버 블로그에 익숙해지고 여유가 있다면 애드센스를 진행해보는 것을 추천한다.

네이버 애드포스트와 구글 애드센스는 시작 이후 전혀 돈이 들지 않는다는 게 장점이지만, 장기적인 측면에서 봤을 때 네이버 블로그를 추천한다. 네이버 블로그는 누구나 손쉽게 개설할 수 있고, 컴퓨터에 친숙하지 않은 사람도 쉽게 접근할 수 있다. 추가적으로 네이버 카페나 포스트와도 연동이 가능하다. 관심 있는 네이버 카페 커뮤니티에서 활동하면 개인 블로그로 유입된다. 소통적인 측면에서도 유리한 블로그 에드포스트로 체험단 이후 수익도 함께 노려보자.

자면서도 돈이 되는
스마트스토어

+ + +

　스마트스토어는 사업자등록을 해야 한다는 진입장벽이 발생한다. 블로그 수입만으로 충분히 만족하다면 거기서 멈춰도 된다. 스마트스토어는 새로운 것에 기꺼이 도전해보겠다는 사람들에게 추천한다.

　나는 '스마트스토어'가 사업이라고 생각하지 않는다. 다만 상품등록을 낮에 하면 새벽에도 결제를 하는 사람이 종종 발생하기 때문에 자면서도 돈이 된다고 표현했을 뿐이다. 실제로 스마트스토어는 사업이라기보다는 결제 서비스라고 보는 게 타당한 것 같다.

나는 스마트스토어와 관련해서 유료 강의만 500만 원 이상 결제해서 봤다. 당시에는 그렇게 해서라도 제대로 알고 시작해야 한다고 생각했다. 하지만 그게 문제였다. 강의를 들을 때마다 강사들이 강조하는 부분이 조금씩 달랐다. 어떤 유명한 강사는 상세페이지가 가장 중요하다고 강조했다. 워낙 유명한 사람이니 그의 말대로 그 작업에 심혈을 기울였고, 무려 12시간을 투자해 상세페이지를 만들었다. 하지만 그 상품은 팔리지 않았다. 어떤 강사는 사진이 중요하다고 강조했다. 그의 말에 또 귀가 솔깃해져서 40만 원을 들여 촬영 장비를 장만해서 제품을 촬영했지만, 그 제품도 팔리지 않았다.

무엇이 문제였을까? 무엇을 놓치고 있었던 것일까? 상품을 보는 눈이 없기도 했지만, 다른 사람들 말에 너무 휘둘려서 부수적인 문제에 시간을 너무 많이 낭비했다는 게 가장 큰 문제였다. 초보자는 무조건 물건을 하나라도 팔아야 좌절하지 않고 일을 지속할 수 있다. 따라서 상품등록 단계에서 시간을 너무 많이 투자하면 안 된다. 초보라는 것을 인정하고, 도매처에서 제공해주는 상세페이지만 사용하는 게 좋다. 이렇게만 해도 많은 시간을 절약할 수 있다.

초보자는 상품등록만 하더라도 하루 2시간 월 50만 원 정도는 확보할 수 있다고 자신한다. 더 열심히 한다면 당연히 더 많이 벌 수 있겠지만, 이 책은 딱 거기까지 만족하는 사람들을 위한 안내서다. 그러니 2시간 투자해서 부수입을 올릴 수 있는 기초적인 단계까지만 설명하려 한다. 자, 그럼 스마트스토어의 시작부터 과정까지 이야기해보자.

먼저 위탁판매로 시작하자. 위탁판매는 '경제 상품이나 증권의 판매를 제삼자에게 수수료를 주고 맡기는 일'이다. 구매자(소비자)가 스마트스토어에 주문을 하면, 판매자가 도매공급처에 주문을 넣고 결제를 한 뒤 구매자가 입력한 배송지로 물건을 보낸다. 판매자가 물건을 가지고 있지 않아도 공급처에서 가지고 있는 재고 물품이 구매자(소비자)에게 보내지는 것이다. 이것이 바로 위탁판매의 프로세스다.

이 프로세스를 알았다면 이제 스마트스토어 가입, 사업자등록증 발급, 통신판매업신고증을 발급받아야 하는데, 어떻게 해야 하는지는 유튜브를 검색하면 쉽게 찾아볼 수 있다. 아래 영상을 참고하면 된다.

- 스마트스토어 가입 영상 https://bit.ly/3ShwB3v
- 사업자등록증 발급 영상 https://bit.ly/3qUKI2t
- 통신판매업신고증 발급 영상 https://bit.ly/3HeBjMz

3가지가 모두 완료되었다면 도매꾹(https://domeggook.com/main) 사업자 회원으로 가입하자. 미리 가입을 했다면 마이페이지의 회원정보 수정을 통해 사업자정보변경을 하고 사업자로 등록을 완료하면 된다. 여기까지 완료되면 판매 준비가 끝난 것이다.

　그다음엔 사업자 전용 채널 도매매로 들어가자(도매매는 사업자 전용이라 모든 제품을 낱개 배송할 수 있다).

　먼저 인기100 상품을 올리자. 패션잡화/화장품, 의류/언더웨어, 출산/유아동/완구, 가구/생활/취미, 스포츠/건강/식품, 가전/휴대폰/산업 각 카테고리를 하나씩 클릭하고 올릴 상품을 고민 없이 결정하자. 많은 초보자가 상품을 고르느라 많은 시간을 보내는데, 인기100 상품은 이미 잘 팔리고 있는 상품이다. 그러니 오래 고민할 필요가 없다.

　그럼 지금부터 어떻게 상품 등록을 하는지 초보자도 알기 쉽도록 7일 과정으로 설명해보려 한다.

1일차: 아이템스카우트 카테고리 정하기(예약구매 생략)

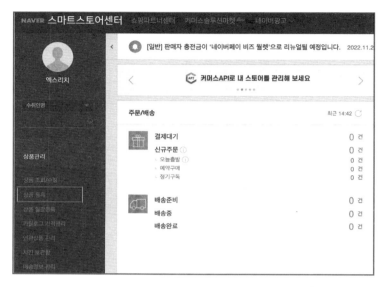

먼저 상품관리 페이지로 들어가서 하단의 상품 등록 버튼을 클릭한다.

상품등록 ● 필수항목

복사등록

카테고리 ● ⑦

[카테고리명 검색] [카테고리명 선택] [카테고리 템플릿] [ ] 템플릿 추가

카테고리명 입력

상품과 맞지 않는 카테고리에 등록할 경우 강제 이동되거나 판매중지, 판매금지 될 수 있습니다.

출처: 스마트스토어

아이템스카우트의 카테고리를 정하고, 도매꾹에서 판매를 진 행할 제품을 선택한다.

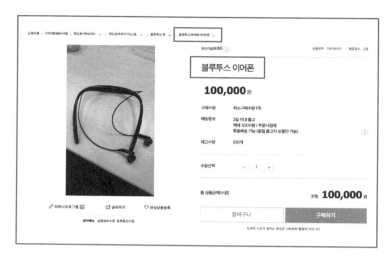

'블루투스이어폰/이어셋' 카테고리가 나온다. 정확히 하기 위해서 아이템스카우트를 확인한다.

아이템스카우트→키워드 분석에서 '블루투스이어폰'을 검색한다. 그러면 디지털/가전〉음향가전〉블루투스셋〉블루투스이어폰/이어셋 카테고리가 나온다.

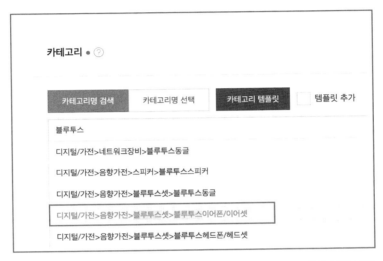

'블루투스'만 검색해도 위와 같이 카테고리가 나온다. 네 번째에 있는 블루투스이어폰/이어셋을 선택하자.

출처: 스마트스토어

대부분의 전기안전용품, 흔히 사용하는 전기, 전자, 배터리 관련된 용품들은 거의 KC인증 혹은 전자파인증 대상이다. 그리고 출산/육아 카테고리의 '어린이제품'처럼 만 13세 미만의 아이들이 사용하는 제품에 대해서도 KC인증을 받은 제품을 취급해야 한다. 다시 한 번 정리하자.

상품관리〉상품등록〉올릴 상품 도매꾹 카테고리 확인〉아이템 스카우트 검색〉하위 카테고리 입력

그다음에는 아이템스카우트를 활용해 상품명을 지어야 한다.
'키워드'가 작동하는 부분이라 초보자에게 중요한 부분이다.

블루투스이어폰/이어셋 부분을 클릭한다.

회원가입 단계의 초보자는 무료 사용기간이 해당 월을 기준으로 이전 3개월까지다. 예를 들어 지금이 11월 이라면 8~10월까지 3개월치 결과를 확인할 수 있다.

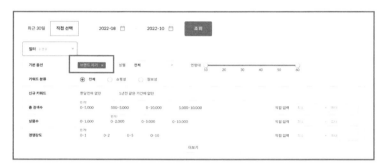

최근 3개월 전인 8~10월을 검색기간으로 설정한다.

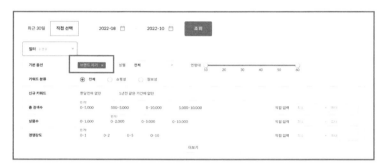

브랜드 제거 부분을 클릭한 후 조회 버튼을 클릭한다. 파란색 박스로 표시한 엑셀을 다운로드한다.

그리고 파일을 연다.

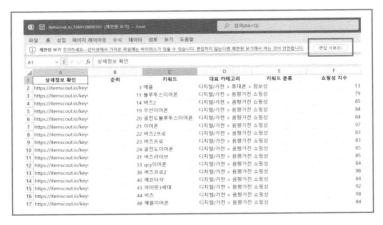

출처: 아이템스카우트 엑셀 파일

편집 사용 버튼을 클릭해서 파일을 카테고리명으로 하여 다른 이름으로 저장한다.

출처: 아이템스카우트 엑셀 파일

출처: 아이템스카우트

아이템스카우트 카테고리 명칭과 동일하게 이름을 정하고 저장을 누른다.

출처: 아이템스카우트 엑셀 파일

키워드, 총 검색수, 상품수, 경쟁강도를 제외하고 모든 열을 삭제한다.

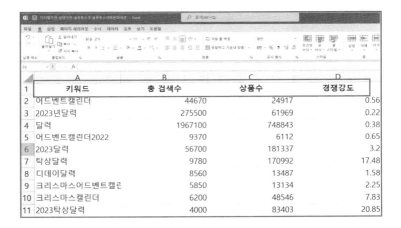

위와 같은 상태가 되도록 정리한다.

A, B, C, D를 지정해서 오른쪽에 보이는 정렬 및 필터 부분을 클릭한다.

각 1열에 화살표 모양이 보일 것이다. '총 검색수' 부분에서 아래쪽 화살표를 클릭한다.

	A	B	C	D
1	키워드 ▾	총 검색수 ▾	상품수 ▾	경쟁강도 ▾
2	블루투스이어폰	421200	1218818	8.68
3	무선이어폰	359100	1190286	9.94
4	골전도블루투스이어폰	119880	143643	3.59
5	노이즈캔슬링	66540	174732	7.88
6	무선이어폰추천	39900	1191380	89.58
7	노이즈캔슬링이어폰	30879	87801	8.53
8	오픈형블루투스이어폰	16080	30995	5.78
9	넥밴드블루투스이어폰	14391	56440	11.77
10	골전도블루투스이어폰단	13020	34	0.01
11	귀걸이형블루투스이어폰	9180	21919	7.16
12	오픈형무선이어폰	8001	28998	10.87
13	골전도무선이어폰	6915	139669	60.59
14	골전도이어폰추천	5661	147930	78.39
15	블루투스핸즈프리	5250	296946	169.68
16	골밀도이어폰	3741	7480	6
17	방수이어폰	3681	243461	198.42
18	게이밍무선이어폰	3210	50347	47.05

'숫자 내림차순 정렬'을 한다.

	A	B	C	D
1	키워드	총 검색수	상품수	경쟁강도
2	애플	1511300	2510526	1.66
3	에어팟프로2	706200	77425	0.11
4	에어팟프로	310900	377896	1.22
5	에어팟	278400	1188078	4.27
6	에어팟맥스	246500	25575	0.1
7	에어팟프로2세대	221700	29281	0.13
8	에어팟3세대	178900	98991	0.55
9	버즈2프로	167200	28066	0.17
10	버즈2	138400	69542	0.5
11	버즈	121700	536832	4.41
12	블루투스이어폰	119700	1206465	10.08
13	갤럭시버즈	105200	179571	1.71
14	무선이어폰	105100	1178402	11.21

브랜드 제품을 제외했어도 브랜드 제품이 표시된다. 브랜드 제품명은 키워드에서 제외하고 일반명사를 사용해야 한다.

	A	B	C	D
7	블루투스이어폰	119700	1206465	10.08
8	갤럭시버즈	105200	179571	1.71
9	무선이어폰	105100	1178402	11.21
10	뱅앤올룹슨	52770	21339	0.4
11	에어팟프로3세대	45370	28605	0.63
12	버즈프로2	38790	28061	0.72
13	골전도블루투스이어폰	38570	154233	4
14	에어팟프로1세대	37460	11505	0.31
15	갤럭시버즈2프로	36150	28066	0.78
16	에어팟3	36130	250899	6.94
17	qcyt13	35180	3150	0.09
18	젠하이저	24380	100879	4.14
19	블루투스	23950	6463549	269.88
20	노이즈캔슬링	22720	173445	7.63
21	qcy이어폰	22510	19294	0.86

사용 가능한 키워드를 음영 처리한다(물론 색상은 개인 취향대로 선택한다).

경쟁강도에서 '숫자 오름차순 정렬'을 하고, 다시 키워드 부분에서 '색 기준 필터' 〉 노란색 필터를 누른다.

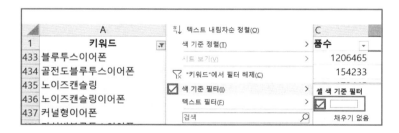

월급 말고 플러스알파, 온라인으로 돈 벌기

	A	B	C	D
1	키워드	총 검색수	상품수	경쟁강도
2	블루투스이어폰	119700	1206465	10.08
3	골전도블루투스이어폰	38570	154233	4
4	노이즈캔슬링	22720	173445	7.63
5	노이즈캔슬링이어폰	9980	90931	9.11
6	커널형이어폰	7040	178119	25.3
7	가성비블루투스이어폰	5780	47142	8.16
8	넥밴드블루투스이어폰	5070	57194	11.28
9	오픈형블루투스이어폰	4370	34903	7.99
10	골전도블루투스이어폰단	4190	41	0.01
11	가성비무선이어폰	3750	46795	12.48
12	오픈형무선이어폰	2040	33079	16.22
13	수영이어폰	2000	29254	14.63
14	귀걸이형블루투스이어폰	1540	23487	15.25

	A	B	C	D
1	키워드	총 검색수	상품수	경쟁강도
2	골전도블루투스이어폰단점	4190	41	0.01
3	골밀도이어폰	1280	8182	6.39
4	통화용블루투스	860	9691	11.27
5	목걸이형이어폰	460	10142	22.05
6	초소형이어폰	870	11064	12.72
7	목걸이이어폰	680	19911	29.28
8	귀걸이형블루투스이어폰	1540	23487	15.25
9	수영이어폰	2000	29254	14.63
10	오픈형무선이어폰	2040	33079	16.22
11	오픈형블루투스이어폰	4370	34903	7.99
12	가성비무선이어폰	3750	46795	12.48
13	가성비블루투스이어폰	5780	47142	8.16
14	게이밍무선이어폰	930	50808	54.63
15	넥밴드블루투스이어폰	5070	57194	11.28
16	노이즈캔슬링이어폰	9980	90931	9.11

출처: 아이템스카우트 엑셀 파일

키워드는 다시 '상품수' 오름차순으로 정렬한다. 이때 카테고리 명칭과 동일한 이름은 부여하지 않는다. '골전도 단점 골밀도 통화형 목걸이 초소형 귀걸이 수영 오픈 게이밍 넥밴드 노이즈캔슬링'으로 제목을 설정한다. 중복된 단어는 피해야 한다. 위 엑셀 파일에서는 통화용이 두 번 나와서 한 번만 써주었다. 카테고리에 중복된 블루투스 이어폰이라는 단어 또한 생략해도 된다. 아래 '상품명 검색품질 체크'를 반드시 눌러서 확인하자. 되도록 띄어쓰기 포함 50자 이내 제목 설정을 권장한다.

출처: 스마트스토어

중요한 점은 중간에 임시저장 버튼을 클릭해야 한다는 점이다. 상품수 오름차순으로 정렬하는 이유는 절대적인 상품수가 적어야 내 제품의 노출 기회가 올라가기 때문이다. '키워드'에 대한 부분을 다시 읽어보길 바란다.

정리하자면 이렇다.

아이템스카우트〉키워드 분석, 기간 직접 입력〉3개월 정보(무료 회원)〉브랜드 제거〉엑셀 다운로드〉키워드, 총 검색수, 상품수, 경쟁강도 제외 전부 삭제〉정렬 및 필터 적용〉총 검색수 숫자 내림차순 정렬하여 단어 체크〉제목과 색깔 정렬〉최종 상품수 오름차순 정렬〉상품수 적은 순으로 제목 짓기

그다음으로는 판매가를 설정해야 하는데, 도매가의 1.2배로 설정한다. 초보자 입장에서 가장 중요한 것은 판매를 일으키는 것이니 유입과 판매에만 집중해야 한다. 예를 들어 도매가가 10,000원이라면 10,000 × 1.2 = 12,000원이다.

재고 수량은 999개로 설정한다. 위탁판매 특성상 재고가 있을 수도 있고 없을 수도 있다. 위탁판매의 가장 큰 단점은 정확한 재고를 파악하기 어렵다는 점이다. 하지만 재고는 제품이 팔리고 나서 걱정해도 늦지 않다.

2일차: 옵션 설정>단일제품 혹은 단독형만 판매하기

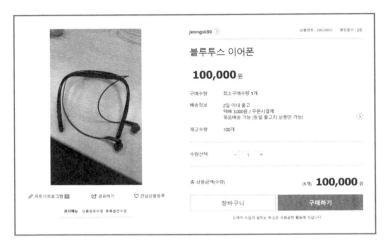

출처: 스마트스토어

단독형 옵션만을 활용해서 제품을 등록하는 것이 간편하다.
익숙해지면 조합형 옵션을 활용한다. 예를 들어 위와 같은 제품
을 옵션이 없는 단일제품이라 말한다.

월급 말고 플러스알파, 온라인으로 돈 벌기

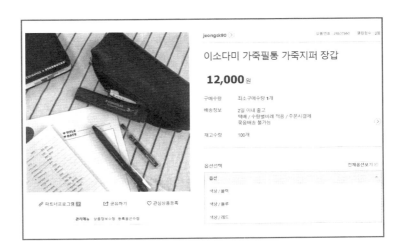

위 제품은 옵션 단독형이라 한다. 단독형 옵션 설정 방법을 알아보자. 아래 순서대로 설정하면 된다.

옵션 입력 방식: 직접 입력하기〉옵션 구성 타입: 단독형〉옵션명 개수: 1개

정렬순서: 등록순〉옵션 입력

옵션명: 색상(모양이나 특징 등은 개인이 설정 가능), 옵션값: 블랙, 블루, 레드

'옵션 목록으로 적용' 부분 클릭.

그다음에는 대표이미지, 추가이미지를 넣어야 한다. 대표 이미지는 썸네일을 말하며, 상품이 클릭되기 직전의 상태를 가리킨다. 대표 이미지의 권장 크기는 1,000×1,000P(픽셀)이다. 알씨, 알캡처는 알툴즈(https://www.altools.co.kr/Main/Default.aspx)로 가서 다운받거나, 혹은 미리캔버스를 사용해서 픽셀 조정이 가능하다.

월급 말고 플러스알파, 온라인으로 돈 벌기

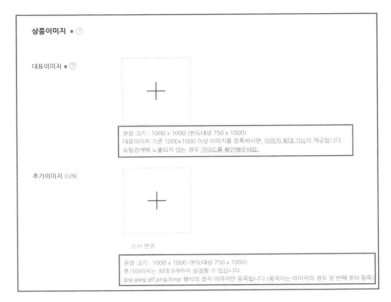

+버튼을 클릭해서 대표이미지를 넣는다. 이때 도매꾹 상세페이지에 있는 이미지 중에 클릭해보고 싶은 부분을 캡처해서 넣는다. 팁을 하나 주자면, 네이버에서 검색할 때 '물건' 이미지가 많이 나오면 '사람' 이미지를 넣고, '사람' 이미지가 많이 나오면 '물건' 이미지를 캡처해서 넣어야 한다.

 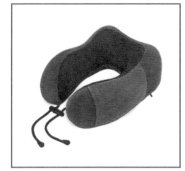

　이 두 가지 이미지 중 어떤 이미지를 더 클릭해보고 싶은가?
아마 대부분의 사람들이 왼쪽 이미지를 클릭해보고 싶을 것이다.
사람들이 좋아할 만한 이미지를 선택해야 한다.

3일차: '상세설명(상세페이지)' 등록하기

도매매 사이트에는 상세페이지 무료 사용 기능이 있다.

도매매에서 제품을 선택하고 '이미지무료다운로드'를 클릭한
다. 체크 표시를 누른 다음에 상세이미지를 다운로드한다.

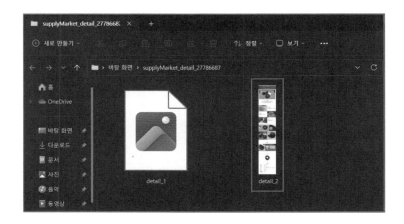

압축을 풀면 세로로 긴 형식의 이미지 파일이 보인다.

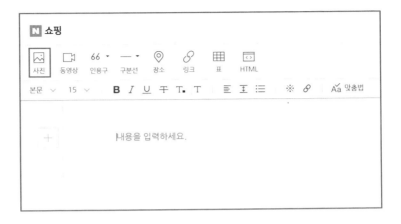

다시 스마트스토어 상세설명 부분으로 돌아가서 'Smart Editor ONE으로 작성'을 클릭한 뒤, 좌측 상단의 '사진' 버튼을 클릭한다.

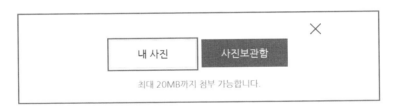

'내 사진' 버튼을 클릭하고 다운 받고 압축을 풀었던 상세페이지 사진을 붙여 넣는다.

오른쪽 상단에 '등록' 버튼을 누른 뒤 '작성된 내용이 있습니다.'를 확인한다. 각 공급처 혹은 도매처에 상세페이지 이미지 사용 가능 여부를 반드시 확인해야 한다는 점을 기억하자.

출처: 스마트스토어

4일차: '상품 주요정보' 입력하기

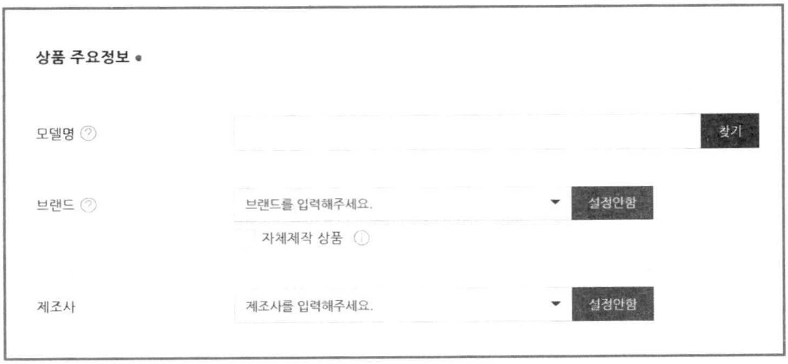

상품 주요정보 •

모델명 ⑦ _____ [찾기]

브랜드 ⑦ 브랜드를 입력해주세요.   ▼ [설정안함]
            자체제작 상품 ⓘ

제조사   제조사를 입력해주세요.   ▼ [설정안함]

출처: 스마트스토어

상품정보

| 원산지 | 수입산_아시아_중국 | 모델명 | 별도 |
| 제조사 | 별도 | 상품포장 부피/무게 | ./. |

출처: 도매꾹

보통 도매처 정보는 모델명과 브랜드 제조사가 따로 밝혀져 있지 않다.

공급사정보

공급사명
사업자구분
사업장소재지
문의번호

모델명, 브랜드, 제조사는 공급사명 'ㅇㅇㅇ 협력업체'로 통일한다.

브랜드 ⓘ	qcy	▲	설정안함
	직접입력: qcy		
	QCY		
제조사	제조사를 입력해주세요.	▼	설정안함

예를 들어, QCY이어폰 브랜드를 검색한다고 했을 때, 검색 결과가 음영 처리된 부분으로 나온다면 아래 이미지처럼 코드번호로 관리되고 있는 브랜드가 있는 제품이라는 뜻이다. 도매꾹에서 판매하는 제품들은 코드번호가 없는 등록되지 않은 브랜드다.

코드번호가 나오지 않는 브랜드는 명칭을 넣어도 파란색으로 선택된 입력 결과가 나오지 않는다. 즉 코드번호가 없는 제품을 등록할 때는 브랜드와 제조사가 불분명하다는 뜻이다. 위탁 제품일 경우 제조 혹은 수입 장소를 알아내려고 노력하면 시간만 흐른다. 간단히 'OOO협력업체'라고 넣는 이유가 바로 그것이다. 여기서 시간을 낭비하지 말자.

상품속성	[블루투스이어폰/이어셋] 카테고리 맞춤형 검색정보를 입력해보세요.

무관한 속성을 선택하거나 과도하게 많은 속성을 선택하는 경우 네이버쇼핑 검색에 정상 노출이 되지 않습니다. 주요한 속성 위주로 간게 입력해 주세요.
상품에 맞는 속성이 없거나 중요 속성이 누락되었다면 고객센터 1:1문의에 남겨주세요. (카테고리, 보완 필요한 내용 자세히 기재)

기본사양

블루투스버전	블루투스5.0 ▼
형태	무선 / 넥밴드겸용 / 넥밴드형(분리가능) / 목걸이겸용 목걸이형 / 클립형 / 귀걸이형겸용 / 귀마개겸용 / 귀걸이형 밀폐형 / 세미오픈형 / 반커널형 / 수직커널형 / 커널형 모노타입 / 오픈형_헤드폰 / 헤드밴드 / 오픈형 / 귓속형 넥밴드 / 헬멧부착형 / 선글라스형 / 코드프리 / 모자겸용 백헤드형 / 유선

'상품속성' 부분은 카테고리 특성상 다르게 나오니, 제품 특징에 맞게 간단히 체크하고 넘어가자. 이 부분을 완벽히 체크하려고 시간을 많이 쓸 필요는 없다. 1~2개의 특징만 간단히 넣으면 된다.

그다음으로 KC인증 제품을 확인하는 방법을 알아보자. KC인증이 필요한 제품을 취급할 때는 KC인증을 받을 생각은 하지 말아야 한다. 이미 인증을 받은 제품만 취급하는 게 좋다. 되도록 KC인증이 필요 없는 제품을 취급하되, 정확히 해야 한다면 제품에 대한 인증 정보를 확인한다. 상품정보에서 스크롤을 아내로 내리면 상품정보를 확인할 수 있다.

상품정보		
원산지	수입산_아시아_중국	모델명
제조사	ablecompany협력사	상품포장
인증정보	KC [생활용품] 안전인증 ZU10701 자세히보기 > 판매자가 등록한 인증정보로써, 일체의 책임은 판매자에게 있습니다	

위 제품은 '생활용품 안전인증' 정보가 표시되어 있다. 인증번호 옆에 '자세히보기'를 클릭한다.

인증정보 검색

▶ 인증정보

인증기관	한국산업기술시험원
인증번호	ZU10701
인증상태	적합
인증일자	20180207
인증구분	전기용품 및 생활용품 안전관리법 대상>안전확인대상 전기용품

'인증상태'에서 적합인지 아닌지 확인할 수 있다. 적합하다면 스마트스토어로 돌아와서 해당 부분을 입력한다.

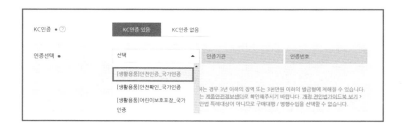

'인증선택' 부분에서 화살표 모양을 클릭한 뒤, '[생활용품]안전인증_국가인증' 부분을 선택한다.

기관과 인증번호를 입력한 다음 'KC마크 사용함'을 선택한다. '제품 인증정보 확인' 버튼을 눌렀을 때, 위와 같은 동일한 결과가 검색된다면 올바르게 입력된 것이다. '구매대행'과 '병행수입' 부분은 체크하지 않아도 된다.

지금까지 설명한 내용이 이해가지 않는다면 KC인증이 필요 없는 제품을 우선 취급해보면서 기본기를 익히는 게 좋다. 자세히 알려고 할수록 어려운 게 KC인증이다. 큰 틀에서 KC인증 제품이 필요한 경우는 전기, 전자 혹은 배터리가 들어가는 경우, 만 13세 미만의 아이들에게 판매하는 경우에는 어린이 제품 인증이 필요하다.

'원산지'는 '수입산, 아시아, 중국' 버튼 바로 옆에 중국이라고 한 번 더 입력하자. 국내산이라면 국내산 원산지에 맞게 입력하면 된다. '상품상태'는 신상품이나 맞춤제작이 아니면 체크하지 않는다.

'제조일자'는 정확한 일자를 확인하기 어렵기 때문에 2달 전으로 임의의 날짜를 선택한다. '유효일자'는 식품류만 체크하고 '유효일자'는 입력하지 않아도 된다. '미성년자 구매' 항목에서는 '가능'으로 체크하고, 임시저장 버튼을 누른다.

5일차: '상품정보 제공 고시' 적용하기

쉽게 말해서 '상품정보 제공 고시'란 소비자에게 정보 제공을 알려야 할 의무가 있다는 규정이다. '설정여부'에서 '설정함'〉'상품군'에서 '기타 재화'〉'상품상세 참조로 전체 입력'을 체크한다.

그다음 부분도 소비자 보호법으로 인한 법률사항이므로 첫 번째에 체크되어 있는 것을 확인하고 넘어간다.

그다음은 배송 관련 사항이다.

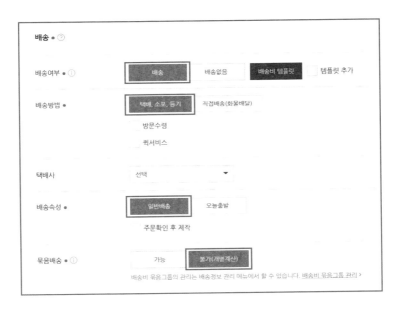

'배송여부'에서 '배송'〉'배송방법'에서 '택배, 소포, 등기'〉'배송속성'에서 '일반배송'〉'묶음배송'에서 '불가'로 설정한다. '상품별 배송비'는 도매꾹, 도매매 배송정보를 확인한다.

기억해야 할 것은 도매처에서 묶음배송이 가능하다는 것과 스마트스토어상 가능하다는 것은 다른 의미라는 점이다. 묶음배송 관리그룹을 따로 설정해야 하는데, 그 부분까지 이해하려면 시간이 더 오래 걸리므로 과감히 불가를 체크한다.

만약 위 상품을 판매한다면 오른쪽 별색박스 안에 '>' 모양을 클릭한다.

'배송조건'을 상세히 입력한다. 100개까지 3,000원, 이후 100개마다 3,000원씩 추가된다는 말은 '배송비 조건'이 '수량별'이라는 뜻이다.

상품별 배송비 * ⓘ	수량별 ▼		
기본 배송비 *	3,000	원	
배송비 조건 *	50	개마다 기본 배송비 반복 부과	
결제방식 *	착불 ◉ 선결제	착불 또는 선결제	
제주/도서산간 추가배송비 ⓘ	설정함 설정안함	제주/도서 산간지역안내 >	
	배송권역 2권역 ◉ 3권역		
	제주 추가배송비 4,000	원 제주 외 도서산간 추가배송비 10,000	원
지역별 차등 배송비 ⓘ	제주/도서산간 제외 입력		
	묶음배송 가능인 경우 배송비 묶음그룹에 입력한 제주/도서산간 추가배송비와 함께 노출됩니다. 제주/도서산간을 제외한 지역별 차등 배송비가 있는 경우에만 입력해주세요. 희망일배송인 경우 [희망일 배송그룹 > 희망일지 > 지역별 예상 배송비] 항목에 입력해주세요.		

'결제방식'은 반드시 선결제로 선택한다. 착불로 선택했을 때 택배기사의 불편함을 방지하기 위해서다. '제주/도서산간 추가배송비' 부분은 배송조건 안내에 표시되어 있는 금액을 입력한다. 해당 상품 '제주 추가배송비'가 4,000원, '제주 외 도서산간 추가배송비'는 10,000원을 차례로 입력한다. '지역별 차등 배송비'는 생략한다.

'별도 설치비'는 '없음'으로 선택한다. '출고지'는 입력되어 있
는 사업장 소재지로 둔다. 출고지를 상품등록할 때마다 수정하면
시간이 오래 걸리기 때문이다. 반품교환지만 정확히 확인하면 된
다. 도매꾹의 경우, 아래 '반품교환' 부분을 클릭한다.

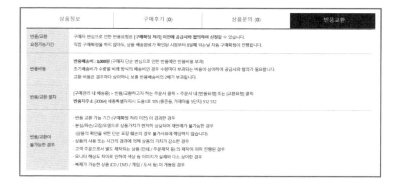

도매꾹/도매매의 '반품/교환' 부분에 '반품배송비(편도)' 부분
을 살펴본다.

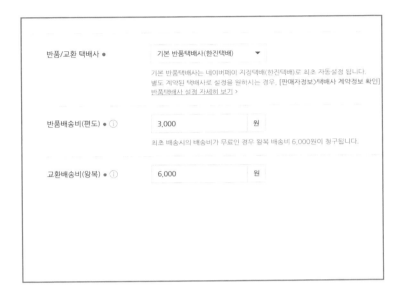

'반품배송비(편도)'는 배송비가 3,000원이면 동일하게 입력
하고, '교환배송비(왕복)'는 편도×2= 6,000을 입력한다. 주소는
'반품/교환지' 부분에서 확인할 수 있다.

| 반품/교환지 ● | 반품교환지
충청남도 천안시 서북구 두정로 117 (퓨전리더스주차빌딩) 2층 205-6호. (우 : 31089) | 판매자 주소록 |

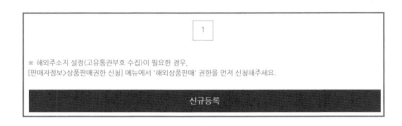

'판매자 주소록'을 클릭한 뒤, '신규등록' 버튼을 클릭한다.

'이름, 주소, 연락처1, 연락처2'를 차례로 입력하고 '설정'은
'일반주소로 지정'을 선택한다.

월급 말고 플러스알파, 온라인으로 돈 벌기

6일차: 'A/S 특이사항'에 대하여

A/S는 무엇일까? 재화나 서비스 상품을 구입한 고객에게 제공하는 사후 관리 서비스를 뜻한다. 'A/S전화번호'에는 본인 번호를 입력한다. 'A/S안내'에는 "전화문의보다 네이버 톡톡 또는 문자메시지의 경우 보다 빠르게 답변받을 수 있습니다."라는 문구로 통일하여 적는다. 전화를 빨리 받을 수 없음을 사전에 안내해 놓아야 한다.

추가상품은 본 상품에 함께 구성하면 좋은 상품을 구성하는 것이다. 하지만 등록하기 과정에서는 과감히 생략하자.

'구매/혜택 조건' 부분이 쇼핑했을 때 리뷰를 쓰면 제공받는 네이버 페이 포인트다.

출처: 스마트스토어 판매자센터

'최소구매수량'을 설정할 수 있는 부분이다. 최소구매수량 2 개부터 입력해야 하고, 2~3개 정도를 묶어서 판매해야 할 경우에 입력하는 부분이다. '복수구매할인' 부분은 '설정안함'으로, '무이자할부' 부분도 '설정안함'으로 체크한다.

오른쪽 상품페이지에서 알 수 있듯이, 판매자는 적립 포인트 중 '텍스트 리뷰'와 '포토/동영상 리뷰' 포인트 비용을 설정해서 고객에게 혜택을 줄 수 있다. 구매후기를 빠르게 쌓기 위한 방법 중 하나로, 일부 판매자는 주력 상품에 포인트 지급 가격을 높게 설정하기도 한다.

이소다미 관심고객수 1,237 ⊙ 알림받기

이소다미 목베개 기내용 여행용 지하철 국민 휴대용 목쿠션 앉아서자기 BEST

★★★★☆ 319건 리뷰 더보기

57% ~~30,000원~~
12,800원

N+멤버십 **멤버십 추가적립 +503** 원　　　　　　　>

헤람님의 최대 적립포인트	**3,087원**
구매적립 ⓘ	
· 기본적립	128원
멤버십적립 ⓘ	
· 네이버플러스 멤버십 추가 적립 >	503원
최대 리뷰적립 ⓘ	2,200원

최대 리뷰적립	✕
텍스트 리뷰 작성시	100원
포토/동영상 리뷰 작성시	1,150원
한달사용 텍스트 리뷰 작성시	50원
한달사용 포토/동영상 리뷰 작...	1,000원
알림받기 동의 고객 리뷰 작성시	50원

초보 단계에서는 포인트를 굳이 설정하지 않아도 된다. 하지만 꼭 포인트를 주고 싶다면 위에 4칸은 전부 입력해야 상품이 등록된다. 최소 10원 단위로 입력할 수 있으나, 50원 정도로 설정하고 넘어가자.

검색설정 ⑦

태그 ⓘ

요즘 뜨는 HOT 태그

홈캉스

파워풀한

메탈릭한

격자모던

태그 직접 입력(선택포함 최대 10개)

출처: 스마트스토어 판매자센터

검색설정 태그 부분도 과감히 생략하자. 물건이 팔리고 난 다음 알아봐도 괜찮다.

7일차: 판매자 내부코드 넣기

판매자 코드 ⑦		∧
판매자 상품코드		
판매자 바코드		
판매자 내부코드 1		
판매자 내부코드 2		

출처: 스마트스토어 판매자센터

상품등록 개수가 많아지다 보면 주문이 들어왔는데도 도매꾹, 도매매, 혹은 다른 B2B 사이트에서 판매하고 있는 그 제품의 이름이 기억나지 않아서 시간이 많이 걸릴 때가 있다. 나만 알아볼 수 있는 약속이라고 생각하면 편하다.

판매자 내부코드1=도매처 사이트 이름(예를 들어 도매꾹)을 입력한다.

판매자 내부코드 2=공급사명 'jeongsk90'과 상품번호 '28637660'을 각각 입력한다.

'상품명, 상품번호, 공급사ID, 공급사닉네임'으로 제품 검색이 가능하게 시스템을 제공해주고 있다. 공급사에서도 상품명을 변경할 수 있기 때문에 고유 부여된 상품번호를 입력해서 찾아보고, 그래도 없으면 공급사닉네임을 입력 제품들 중 동일한 제품으로 찾아낸다.

'노출 채널'에서는 전용 상품명이 체크 해제되어 있는지 확인한다. '가격비교 사이트 등록'에서 '네이버쇼핑'을 반드시 체크한다. 간혹 이를 체크하지 않는 사람들이 있다. 그럴 경우 네이버쇼핑에 노출이 안된다. '알림받기 동의 고객 전용상품'과 '공지사항'은 '설정안함'으로 선택한다.

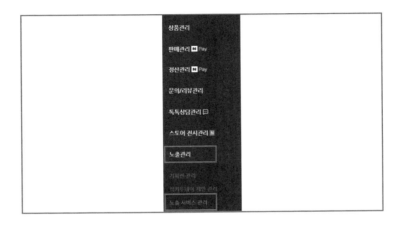

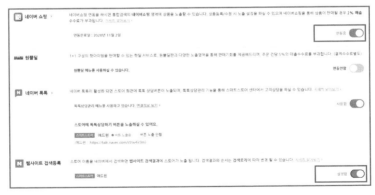

'노출관리'〉'노출 서비스 관리' 부분에서 네이버 쇼핑이 '연동 중'인지 아닌지 반드시 체크한다. 저 부분을 활성화해서 연동을 진행해야 노출이 된다. 페이지 하단에 '웹사이트 검색등록'이 있는데, 이 부분도 '설정함'으로 선택한다. 참고로 웹사이트 검색 등록은 1개 이상의 제품이 등록되고 나서 설정할 수 있다. 즉 스토어를 개설하자마자 설정되지는 않는다.

여기까지 마쳤으면 이제 1일차부터 7일차까지의 과정을 30번 반복해본다. 딱 한 개의 상품을 올리기까지 하루 20분, 7일로 단계를 나눠서 진행해본다. 상품등록에 익숙해지면 그 시간은 점점 줄어들 것이다.

네이버쇼핑 SEO 가이드를 살펴보면 '최신성' 점수라고 있다. 초보자들은 상품등록을 꾸준히 함으로써 물건이 팔리는 경험을 하게 될 것이다. 그리고 마침내 상품판매단계까지 가면 나중에는 별것 없다는 생각이 든다. 배송방법과 반품방법을 미리 공부하지 말자. 주문이 들어오면 그다음 단계는 자연스레 할 수 있게 된다. 이런 과정을 거쳐 상품이 하나 팔리면 그 후 4장 2단계 중 '오리지널에 집착하지 않기'로 가서 다음 단계에 무엇을 해야 하는지 살펴보자.

소유보다 공유,
전자책 출간

+ + +

일반인이 전자책을 쓴다고 당장 고수익을 얻을 수 있을까? 그렇지 않다. 전자책은 소유보다 공유에 초점이 맞추어진다. 왜 그럴까? 나는 전자책으로 어떤 비즈니스를 만들어낼 수 있을지 생각해보다가 '○○○으로 월 100만 원 버는 방법, 무료 전자책 제공'에 대한 비즈니스 모델에 대해 알아보았다.

블로그의 가장 큰 장점은 '콘텐츠 공유' 기능이 있다는 점이다. 아마 '공유'해준 사람에 한해서 전자책을 무료로 나눠준다는 문구를 봤을 것이다. '공유' 버튼을 한번 클릭하는 것은 어렵지 않다. 하지만 블로그 이웃이 세 명이더라도 그 글을 보는 사람이 흥미를 느끼면 그 콘텐츠는 서로 공유되기 시작하고, 그러면 새로운 이웃이 추가되면서 수백 명의 사람이 무료 전자책을 받아본다. 별것 아니라고 생각한 클릭 한 번이 나비효과가 되는 것이다.

책보다 가벼우면서 바로 써먹을 수 있는 정보를 얻기 원하는 사람들이 전자책을 선호한다. 따라서 전자책에서는 서론, 본론, 결론의 단계를 거치지 말고 바로 결론으로 들어가야 한다. 그럼 지금부터 전자책을 만들고 활용하는 팁을 알아보자.

첫째, 플랫폼은 '크몽' 하나만 바라본다. 크몽은 전자책 시장의 선두주자이며, TV와 인터넷 광고까지 섭렵하는 플랫폼이다. 가장 많은 돈을 투자하는 만큼 이용고객도 많다. 크몽의 큰 특징 중 하나는 실행력이 높은 사람들이 방문한다는 것이다. 유튜브에서 무료 정보를 얻을 수는 있지만, 영상을 처음부터 끝까지 다 보는 시간이 아까운 사람들이 크몽을 이용한다.

둘째, 크몽에 등록 가능한 전자책 주제는 다음과 같다. 이 주제를 꼼꼼하게 살펴보고, 자신이 어떤 주제의 콘텐츠에 경쟁력이 있는지 판단해보자. 주제가 매우 세분화되어 있어서 매력적인 주제를 찾기에 매우 좋다.

투잡 재테크 분야

주식-코인 / 부동산-경매 / 제휴 마케팅 / 쿠팡파트너스 / 애드센스 / 블로그 수익화, 원고 / 수익형 유튜브 / SNS 라이브 커머스 / 스마트스토어, 구매대행 / 전자책, 출판 / 과외, 강의 / 디자인 영상콘텐츠 / 셰어하우스

창업 분야

경영 노하우 / 온라인 쇼핑몰 / 카페-음식점 / 학원 / 공방-클래스 / 뷰티 / 생활

직무스킬 분야

광고 / 마케팅 / 카피라이팅 글쓰기 / 기획 문서작업 / 디자인 영상콘텐츠 / 프로그래밍 영업 / 강사 / 프레젠테이션 / 엑셀 데이터 / 분석 / 비즈니스 외국어 / 직장 생활 스킬

취업 이직 분야

대기업 공기업 / 군인 경찰 공무원 / 외국계 해외 취업 / 금융 / 항공, 승무원 / 교사, 교육 / 의료, 제약 / 프리랜서 / 면접 스피치 / 자기소개서 포트폴리오 / 이직 / 퇴사 / 다양한 직무 직업 / 취업 노하우

라이프 습관 분야

습관, 자기관리 / 건강, 다이어트, 운동 / 글쓰기, 그림그리기 / 촬영 영상 음악 / 미식 레시피 / 경제관리 / 이사, 인테리어 / 연애, 결혼, 육아 / 패션, 차량구매 / 타로, 운세, 해외라이프 / 반려동물 / 여행 / 법률 세무상식

자료 모음집

엑셀 / PPT레이아웃 / 학습용 자료 / 사진 / 디자인 소스

셋째, 인기 있는 주제가 궁금하다면 유튜브에 '키워드'를 검색한다. 제목과 썸네일을 보고 주제를 뽑아낼 수도 있다. 돈, 건강, 인간관계, 연애에 대한 주제들을 섞을 수 있는지 구성해본다. 예를 들어 '알게 모르게 우울증과 무기력증을 앓고 있는 사람들에게 도움을 주는 마음 따듯해지는 그림책 리스트 모음 30선'이라는 간단한 템플릿형 전자책을 만들어 책을 추천해줄 수도 있다. 내가 먼저 읽어본 책을 소개하고, 그 책을 통해 어떤 도움을 받았는지 간단한 설명을 덧붙인 뒤, 책 소개 코멘트를 달아놓는다. 또는 디자이너 출신이라면 자신의 노하우를 담아 '구매 욕구를 불러일으키는 스마트스토어 상세페이지 템플릿 10선 모음'이라는 전자책을 만들 수도 있다. 이런 주제는 어떨까?

- 취업 잘 되는 자격증 TOP10
- 무스펙, 토익 신발사이즈 점수대가 대기업 10곳에 합격하는 비결
- 인간관계에서 상처받지 않는 3가지 비결
- 방문자 없이 체험단에 당첨되는 방법
- 퇴사할 때 반드시 챙겨야 할 10가지 팁
- 인건비 줄이는 직원 월급 관리 노하우 3가지
- 직장인 주식으로 매달 30만 원 더 버는 노하우
- 직장인 PPT 깔끔하게 만드는 5가지 노하우
- 30대 전업주부, 돈 아끼는 꿀팁 3가지
- 돈이 모이는 가계부 쓰는 꿀팁 2가지
- 왕초보 직장인의 생산성을 올려주는 애버노트 사용법
- 생산성 200% 올려주는 엑셀, 파워포인트 단축키 모음
- 합격할 수밖에 없는 자기소개서 쓰는 팁 3가지
- 눈이 2배로 커지는 성형 메이크업
- 왕초보도 쉽게 쓰는 블로그 글쓰기 팁 5가지
- 실패 없는 체형별 코디법 10가지
- 면접에 합격하는 당일 외모 체크리스트 10
- 스마트폰으로 인물사진 잘 찍는 10가지 방법
- 돈 아껴주는 피부과 상담 노하우

- 어린이집 교사가 알려주는 2~4세 아이 돌보는 팁
- 우울증을 극복했던 나만의 팁 7가지

책이라고 해서 어렵고 전문적인 주제를 선택할 필요는 없다. 생활에 편리함을 주거나 삶의 질을 향상시키는 소소한 팁이 오히려 사람들의 이목을 끈다. '이런 내용이 책이 될 수 있을까'라고 고민하는 시간에 일단 쓰면서 내용을 채워가는 게 중요하다.

넷째, SNS로 광고하는 방법도 있다. 채널이 작아서 그 누구도 전자책을 구매해주지 않고 알아주는 사람도 없다면 SNS 광고 중에서도 페이스북이나 인스타그램 광고를 추천한다. 10~60대 연령, 성별, 관심사를 통해서 노출을 효율적으로 늘려준다. 이때 중요한 것은 광고를 함으로써 데이터를 확보하는 것이다. 광고를 통해서 어떤 연령대의 어떤 사람이 관심을 가졌는지 데이터를 확인할 수 있다. 이런 통계는 자신의 책을 어떻게 광고해야 하고, 어떤 매체에 노출시켜야 하는지 힌트를 줄 뿐만 아니라, 다음 전자책을 만들 때도 도움이 된다. 마케팅은 아이디어에서 승부가 나기도 하지만, 데이터 싸움이라고도 할 만큼 데이터가 많은 것을 이야기해줄 때도 있다. 광고를 통해 오히려 책과 관련된 데이터를 얻을 수 있다는 점에서 눈여겨볼 만한 방법이다.

광고하는 방법은 블로그와 유튜브에 무료로 공개되어 있다.

크몽은 플랫폼 내에서도 광고를 집행해볼 수 있다.

다섯째, 만족도 높은 전자책의 특징을 알아야 한다. 먼저 제목이나 주제와 상관관계 없이 뜬구름 잡는 이야기는 되도록 하지 않는 것이 좋다. 과장된 표현이나 '100% 만족' 등과 같은 문구는 넣지 않는 게 좋다. 구매자의 만족도를 높이는 간단한 방법은 추가적인 템플릿이나 관련 사이트 정보를 더 안내해주는 것이다. 오픈채팅방, 네이버 블로그, 네이버 카페 등 질문할 수 있는 창구도 열어두는 게 좋다.

전자책은 소유보다는 공유하고자 하는 마음을 담아 써야 한다. '완벽하지 않은 이런 내용을 세상에 내놓아도 될까?' 하는 생각으로는 무엇도 할 수 없다. 내용은 완벽하지 않을지라도 내가 다른 사람에 비해 조금이라도 더 알고 있는 정보, 다른 사람들에게 제안하고 싶고 알려주고 싶은 내용을 나누겠다는 마음이면 충분하다. 내가 가진 것을 그냥 준다고 생각하면 조금 용기가 생긴다. 부족한 대로 시작하다 보면 점점 더 완성된 콘텐츠를 만들 수 있다.

경험이 돈이 되는
1:1 코칭

+ + +

　직장인으로서의 내 경험들이 무의미해지는 순간이 있다. 육아
가 그렇다. 직장에서 일하고 퇴근해서 돌아와 아이를 돌보고, 빨
래하고 청소하는 일은 지금까지 쌓아온 내 경험이 하나도 도움
이 안 되는 일이었다. 정말이지 할 일이 산더미처럼 많았다. 둘째
가 100일이 되기까지는 새벽 수유를 담당했는데, 휴직을 했는데
도 이렇게까지 힘든 일인가 싶을 정도로 체력 소모가 많았다. 아
이가 2~3시간마다 잠에서 깨어 밥달라고 울어대니, 분유 준비해
서 먹이는 데 30분, 소화시키는 데 30분. 그러니까 새벽에 자다

가 일어나 한 시간을 깨어 있어야 했다. 그러니 잠을 제대로 잘 수 있겠는가. 몽롱한 시간이 이어지고 사람이 무기력해진다는 것이 어떤 느낌인지 알게 되었다. 그렇게 힘들게 아이를 키워봐야 눈에 보이는 건 없고, 곧잘 자괴감에 빠지곤 했다. 창조적인 일을 하지 못했다는 생각에 우울한 기분이 들기도 했다.

하지만 100일간 아이를 돌보면서 여러 기술을 배웠다. 신생아 목욕시키는 법, 기저귀 가는 법, 분유 먹이는 법, 소화시키는 법, 젖병 소독하는 법, 아기 잠 재우는 법 등 소소하지만 결코 만만치 않은 기술을 익혔다. 누구나 할 수 있을 것 같지만 쉽게 할 수 없는 일이기도 하다. 시간급으로 육아 서비스를 제공해주는 플랫폼 '맘시터'에 들어가 보면 이런 일들을 서비스한다.

1:1 코칭은 이와 비슷하다. 나도 쉽게 해내기 힘들었지만 해낸 경험을 누군가에게 나눠주는 것이다.

바느질 공방, 가죽 공방, 쿠킹 클래스 등이 바로 여기에 속한다. 이런 일을 못하거나 어려워하는 사람들 옆에서 방법을 알려주고 조언하는 활동이다. 코칭은 개인이 지닌 능력을 최대한 발휘하여 목표를 이룰 수 있도록 돕는 일이지만, 여기서 중요한 점은 수평적이고 협력적인 파트너십에 중점을 두어야 한다는 점이다. 이 또한 어려울 것이 없다. 친구들과 놀 때, 게임을 할 때 이미 우리가 경험해보았기 때문이다.

단돈 만 원이라도 벌어본 경험이 있다면 그 노하우를 누군가에게 알려줄 수 있다. 이것이 '코칭'이라는 또 다른 파이프라인으로 만들어진다. 지금까지 내가 경험했던 일들을 떠올려보면 코칭할 수 있는 일이 생각보다 많을 것이다.

크몽, 탈잉, 클래스 101 등 재능 기부 사이트에 들어가서 무엇을 코칭해줄 수 있을지 살펴보자. 부업으로 30만 원을 벌어봤던 경험이 누군가에게 도움이 될 수 있다.

혹시 지금 하고 있는 일들이 무의미하게 느껴지는가? 하지만 그 안에서도 누군가에게는 도움이 되는 기술이나 노하우가 반드시 있을 것이다. 내가 누군가에게 도움을 줄 수 있다는 믿음만 가진다면 누군가를 코칭해줄 수 있는 일을 누구든 한 가지는 가지고 있다.

혼자서는 힘들 때,
그룹 스터디

+ + +

첫째 아이를 어린이집에 보내는 것도 잠시, 곧이어 둘째 아이를 출산했다. 아내는 첫째 아이를 출산하고 산후우울증이 있었다고 한다. '육아를 하다 보니 내 자신이 없어지는 것 같다'는 말을 하긴 했지만 우울증까지 앓았다는 건 몰랐는데 뒤늦게 알고 무척 미안했다. 당시 나는 회사 일로 무척 바빴던 때라 아내와 대화 나눌 시간도 별로 없었다. 그러다 보니 아내는 육아와 관련된 이야기를 털어놓을 곳이 없었고, 그런 소외감과 고립감이 우울증으로까지 발전했던 것이다.

하지만 아내는 인스타그램을 시작하면서 우울증에서 빠져나왔다. 육아 관련 인스타그램이었는데, 아이들 사진을 찍어 올리고, 엄마들과 소통하면서 큰 위로를 받았다고 한다. 온라인에서 위로를 받았다니 놀라운 일이었다. 소통이 활발해지면서 아내는 가끔 DM(다이렉트메시지)을 받는다고 했다. "아이가 ○○이 아플 때 어떻게 하셨어요?" "아이가 쓴 모자 어디서 사신 거예요?" 이런 질문이 많다고 한다. 그런 질문에 기쁘게 답변하는 아내가 신기하기도 하고 의아하기도 해서 슬쩍 물어보았다.

"인스타그램 뭐가 그렇게 재밌어?"

"나도 누군가에게 필요한 존재가 되어서 기뻐."

아내의 답변을 듣고 '누군가에게 필요한 사람이 된다는 느낌을 갖는다는 것만큼 가치 있는 생활이 또 있을까?' 하는 생각을 했다.

팬데믹이 시작되면서 오프라인 모임이 사라졌고, 나도 온라인 강의 수강으로 방향을 돌렸다. 하지만 대부분 영상보기식 강의라 소통할 수 있는 창구가 없었다. 코칭권이 있다고 해도 질문을 남기면 2주 뒤에나 답변이 돌아왔다. 그러다 보니 바로 실행하는 데도 한계가 있었다.

이처럼 혼자 하기는 힘들지만, 같이 했을 때 시너지를 낼 수 있는 주제가 있다. 글쓰는 법, 책 쓰기 과정, 부동산 임장 모임, 독서 스터디 등이 그것이다. 나 또한 책 쓰기 과정을 통해 출판 계약을 맺었고, 부동산 임장 모임 덕분에 부동산 투자도 해볼 수 있었다. 혼자라면 절대 못했을 일들이다. 그럴 때마다 내 머릿속에 의문이 생겼다.

'관심 있는 분야에 도전하고 작은 결실을 맺는 단계까지 도와줄 수 있는 서비스는 없을까?'

'사람들과 소통하면서 그때그때 실습형태로 스터디를 만들어보면 어떨까?'

이런 질문이 〈블로그 체험단으로 월 30만 원 만들기〉와 〈스마트스토어 물건 팔아보는 경험 만들기〉라는 강의로 결실을 맺었고, 2년째 지속하고 있다.

모두에게 코칭과 그룹 스터디를 시도해보라고 권장하는 것은 아니다. 다른 사람들에게 도움을 받다 보면, 자신도 누군가에게 도움을 주고 싶은 사람으로 변해간다. 그때 시작해도 늦지 않다. 이 책을 여기까지 읽었다면 이제는 시도해볼 때가 되었다. 처음에 조금만 용기를 내면 그다음부터는 '좀 더 빨리 시작할걸.' 하는 생각이 들 것이다.

2년 만에

월 500만 원

파이프라인을 만든 비결

1단계: 지속가능한 N잡러가 되는 성공 전략

+ + +

세상에 '나'를 드러내는 연습

경제 서적을 여러 권 읽으면서 꼭 한 번 만나고 싶은 저자가 생겼다. 어떻게 하면 만날 수 있을까 방법을 찾다가 그의 오프라인 강의 〈성공 트레이너 렘군의 '세상과 나를 연결하는 방법'〉을 듣게 되었다. 강의를 들으면서 렘군과 이런저런 이야기를 나누던 중에 그가 물었다.

"'이걸 왜 해야 하나?'라는 생각이 들 정도로 다른 사람을 위해 반복적이고 힘들게 하는 일이 단 한 가지라도 있나요?"

대답하지 못했다. 그러자 렘군은 SNS는 하냐고 물었다. 전혀 하지 않는다고 대답했다. 그러자 이내 정적이 흘렀다. 분위기를 바꿔보려 주저리주저리 지금 나를 힘들게 하고 있는 일에 대해 털어놨다. 그러자 렘군이 말했다.

"지금 힘들어하는 그 문제에 대해 다른 사람들과 나눌 생각이 없는 거네요?"

그 한마디 말이 나에겐 큰 울림과 충격으로 다가왔다. 그 일이 있고 나서 한동안 나는 무엇을 위해 살아왔는지 지난 시간을 돌이켜보았다. 나는 그동안 부자가 되어야만, 혹은 훌륭한 성과를 내야만 누군가를 도와줄 수 있다고 생각했다. 그러나 그것은 착각이었다. 지금 당장 도울 수 있는 마음이 없다면 부자가 되어도 돕지 않는다.

누군가에게 도움을 주는 삶이란 무엇일까? 그것은 기록하는 삶을 산다는 것 아닐까? 어떤 것을 기록하고 어떤 것을 기록하지 않을지에 대해 선택하는 것이 아니다. 시도하고 도전하고 깨지고 실패했던 것 하나까지 세세히 기록하면 그것으로 다른 사람에게 도움되는 삶을 살 수 있다. 나의 발자취를 남기라는 뜻이다.

저자 렘군의 블로그에는 지난 10년간의 여정이 모두 기록되어 있다. 그를 따라 나 또한 기록하는 삶을 살아보기로 결심했다.

나의 실패와 성공 모두를 기록으로 남기면 그 기록이 다른 누군가에게는 도움이 된다.
도움이 되는 삶을 산다는 건 기록하는 삶을 산다는 것과 다를 바 없다.

그렇게 결심한 이후부터 렘군에게 도움을 달라거나 조언을 해달라는 등의 연락은 하지 않았다. 블로그에 적힌 그의 글을 읽었기 때문이다.

"성공한 사람들의 대부분은 스스로의 역경을 이겨나가고 혼자 돌파한 사람들이다. 그럼 왜 멘토를 만나라고 하는 것일까? 아마도 직접 만나라는 이야기가 아니고, 마음의 멘토를 만들라는 것이다. 그러고 나서 그 사람보다 더 멋진 사람이 되기 위해 맨땅에 헤딩하고 노력하고 실행하는 것 말고는 답이 없다. 남들이 화려할 때 나는 더 움츠려야 한다. 그리고 칼을 갈아야 한다. 고수의 멋진 칼부림을 옆에서 구경만 하는 걸로는 절대 고수가 될 수 없다. 내가 먼저 성장하면 나의 멘토가 자연스럽게 내게 다가온다. 진정한 멘토를 그렇게 만나고 싶었는데, 나타나지 않다가 내가 어느 수준에 도달하면, 내가 찾던 멘토들이 나에게 손짓을 한다. 찾는 것보다 내가 먼저 성장하는 게 그토록 원하던 멘토를 만날 확률이 더 높다. 그게 가장 빠르고 쉬운 길이다. 내가 먼저 필요로 하는 사람이 되어야 누군가 나를 찾아준다."

책을 읽는 것과 글을 쓰는 것은 완전히 다른 일이다. 읽는 것이야 마음만 먹는다면 쉽고 부담 없이 할 수 있는 일이지만, 책은 함부로 쓸 수 없고 쉽게 쓸 수도 없다. 잘못 쓰면 독자들에게 혼쭐이 날 것 같기도 하다. 그뿐만이 아니다. 다른 사람이 내 글을 읽는다는 걸 떠올리면 부끄러워서 견딜 수가 없다. 하지만 나는 나의 경험담을 사람들과 나누고 싶었고, 더 많은 사람들과 나누고 싶었다. 그러려면 책을 써야 했다. 하지만 아무 경험이 없는 나는 글을 쓸 수가 없었다. 그래서 못 쓴다는 것을 깨끗하게 인정하고 필사부터 시작했다.

생각을 머릿속에 입력하는 시간은 오래 걸린다. 그래서 두세 번 반복해서 필사하고 인상적인 문장에 코멘트를 달기 시작했다. '그 정도로 뭐가 얼마나 달라지겠어?'라고 생각하는 사람이 있을지도 모르겠다. 하지만 달라진다. 물론 처음부터 눈에 띄게 달라지지는 않는다. 작은 변화가 쌓이고 쌓여서 큰 변화가 일어나는 것이다. 그래도 '나의 글을 다른 사람이 볼 수 있게 세상에 남기는 것'에 의미를 두고 용기를 내면 누구든 성장할 수 있다.

지금이라도 블로그에 지금 자신의 심정을 한 줄이라도 남겨보자. 아무 말이라도 괜찮다. 하루 동안의 감상, 내가 경험한 것들에 대한 느낌, 배움에 대한 궁금증을 적어도 좋다. 자신을 글로 드러내는 데 두려움 없이 한 발자국씩 나아가다 보면 글쓰기 실력도, 나를 드러내는 일에도 발전가능성이 잠재되어 있다는 것을 알게 될 것이다.

멀티페르소나 닉네임의 가치

얼마 전 유튜브에서 개그맨 김해준을 보며 크게 웃었다. 그는 〈최준의 니 곡 내 곡〉 코너를 통해 부캐릭터로 유명세를 탔고, 각종 브랜드 광고까지 섭렵했다. 부캐릭터는 연예인들은 물론이고 유튜버와 일반인들에게까지 열풍처럼 번지고 있다. 〈놀면 뭐하니?〉의 주인공 유재석도 유두래곤, 유야호, 위드유, 유르페우스, 카놀라유, 지미유, 유팡 등 새로운 캐릭터로 수많은 이들에게 웃음을 선사하고 있다.

부캐릭터는 자신에게 새로운 자아를 입힘으로써 자유로운 표현이 가능하기 때문에 그 역할을 하는 연예인이나 시청자들 모두 좀 더 가볍게 상황을 즐길 수 있다. 일반인들도 충분히 부캐릭터를 만들어 그 세계를 즐길 수 있다. 바야흐로 멀티페르소나의 시대가 온 것이다.

나는 '헤람'이라는 닉네임 안에서 부캐릭터로 살아가고 있다. 이 닉네임 안에는 '헤프게 모든 것을 내어주는 사람'이라는 의미가 담겨 있다. 지금 당장 다른 사람을 도와줄 생각이 없는 거냐는 반문에 큰 충격을 받고 2주 동안 어떤 닉네임을 지을지 고민하다 나온 닉네임이다.

나는 사실 무엇을 어떻게 나누어야 하는지 정확히 알지 못했다. 하지만 닮아가고 싶은 부자를 만날 때마다 그들은 누군가에게 끊임없이 '나누는 활동'을 하고 있었다. 돈만 나누는 것이 아니다. 누군가는 2시간 동안 글을 써서 블로그에 올리거나 12시간을 공들여 동영상을 찍어 편집한 뒤 유튜브에 5분 영상을 올리기도 한다.

이런 모든 활동이 다른 사람에게 나의 지식과 시간을 내어준 것이다. 예전에는 봉사활동이나 기부만이 다른 사람을 도와주는 것이라고 생각했다. 하지만 그렇지 않았다. '정보'를 제공하는 것도 다른 사람들에게 내 경험과 지식을 나눠주는 일종의 봉사활동이다. '가치'라는 이름의 또 다른 '돈'이라고 볼 수 있는 것이다. 내 시간을 조금 투자하여 나의 경험과 지식을 나누는 것 또한 돈이 된다는 사실을 알면 나눔에 대한 부담감에서 조금 벗어날 수 있지 않을까?

책을 쓰는 대부분의 작가들도 누군가에게 도움을 주고 싶다는 생각이 클 것이다. 그런 마음이 없다면 이 힘든 일을 계속하기가 쉽지 않다. 자기 자신만을 위한 일이라면 힘들 때 쉽게 포기하게 된다. 나처럼 평범한 사람이 이런 글을 써도 될까? 이 글이 과연 누군가에게 도움이 될 수 있을까? 의문이 생기기 마련이다. 하지만 한 가지 분명한 것은 딱 한 줄, 딱 한 사람에게라도 이 책이 도움이 될 수 있다는 점이다. 누군가에게 감명을 주고, 자신의 삶을 바꾸려는 의욕을 북돋고, 아주 작은 한 가지만이라도 시도를 해 보려는 용기를 준다면 그것만으로도 의미 있는 일이다.

작은 성취에서 큰 성취로

대학생이 되고 나서 갑자기 살이 찌기 시작했다. 67kg이던 몸무게가 77kg까지 불어났다. 그도 그럴 것이 일주일에 두 번은 술을 마시고 야간 편의점 알바를 하면서 불규칙적인 생활을 하니 그럴 만도 했다. 살을 빼겠다는 일념으로 간헐적 단식에서부터 원푸드, 디톡스, 황제 다이어트, 단백질 셰이크만 먹기, 살 빠지는 유산균 먹기 등 좋다고 하는 다이어트와 음식은 다 찾아 먹었지만 한 번도 성공한 적이 없었다. 매번 요요현상으로 건강만 더 나빠지는 기분이었다.

매번 다이어트에 실패했던 이유는 신진대사보다 더 많은 칼로리를 섭취하기 때문이었다. 나는 늘 '다이어트'라는 단어에 집착하면서 먹는 것에서 자유롭지 못했다. 집에 먹을 게 잔뜩 있는 사람은 음식에 집착하지 않는다. 하지만 먹으면 안 된다는 강박 때문에 음식을 멀리 하면 안 먹고 싶던 음식까지 먹고 싶어진다. 못하게 하는 것과 안 하는 것은 엄연히 다르니까 말이다. 자신을 다그치며 음식을 엄격하게 제한하다 보면 어느 순간, 먹고 싶다는 욕구가 폭발하면서 폭식과 과식으로 이어진다. 다이어트에 수없이 실패한 후에야 목표 설정을 했음에도 왜 매번 다이어트에 실패했는지 알게 되었다.

다이어트에만 국한되는 이야기가 아니다. 무언가 새로운 일을 시작할 때도 마찬가지다. 아무리 근사한 목표를 설정해놓았어도 방법이 잘못되면 결과는 뻔하다. 그렇다면 무엇부터 해야 할까? 나에게 무엇이 맞는지 어떤 것이 더 효율적인지 알아야 한다. 그래야 중간에 포기하지 않는다. 그리고 그보다 더 중요한 것은 뭐든지 해보는 것이다. 그 어떤 것이든 시도 자체를 포기하지 말고 무조건 해봐야 한다. 해보고 효과가 미비하면 그때 그만둬도 된다.

지나치게 큰 목표도 문제다. '다이어트'와 비슷하다. 야심차게 다이어트를 시작하는 사람들은 항상 이상적인 목표를 세운다. 하지만 늘 한결같은 몸매를 유지하는 사람들을 보면 그들은 '다이어트'에 대한 생각 자체를 하지 않는다. 그러다 보니 음식에 대한 갈망이 없다. 배고플 때 먹고, 배부르면 그만 먹는다. 몸매가 아닌 건강을 위해 운동하고, 작은 목표를 정한 뒤 그것을 성취하고 그 기쁨을 마음껏 느낀다.

팔굽혀펴기를 잘하고 싶다면 하루에 한 개씩만 한 달을 해보겠다고 목표를 세우면 좋다. 지나치게 높은 목표치를 잡고 하루하루 실패하다 보면 그것이 쌓여 쉽게 포기하게 된다. 하루도 빼먹지 않고 매일매일 할 수 있는 가벼운 목표치를 세우면 누구든 그 목표를 성취할 수 있고, 아무리 작은 성취라도 그 기쁨을 맛본 사람은 그 중독성에서 벗어나기 힘들다. 그다음에는 조금 더 높은 목표를 세워서 그것을 성취하고, 다음엔 또 좀 더 높은 목표를 세워서 성취하면, 어느덧 그 사이클에 익숙해지고, 반복되는 성취감은 자신에 대한 믿음을 향상시키는 데도 큰 도움이 된다.

하루에 30개의 영어 단어를 외우는 목표를 세웠다고 해보자. 하루만 놓쳐도 다음 날 60개의 단어를 외워야 한다. 압박감이 생길 수밖에 없다. 남들이 장난하냐고 비웃을 망정 내 생활 리듬과 상황에 맞는 목표를 세우는 게 우선이다. 남의 눈치를 볼 이유가 없다.

어떤 사람은 쉽게 성취하고 어떤 사람은 쉽게 실패하는 이유도 바로 여기에 있다. 익숙함이 아닌 불편함의 근육이 성장했기 때문이다. 익숙함의 근육을 키우려고 노력해야 한다. 익숙해진 뒤에 강도를 올려도 늦지 않다. 실패에 익숙해지면 안 된다. 실패를 당연하게 생각하고 실패에 흔들려선 안 된다. 가볍게 시작하면 중간에 그만두거나 지치지 않는다. 목표를 낮게 잡고 그 목표를 이루어보자. 그런 성공의 경험이 쌓이면 마침내 큰 목표에 도전하여 성공할 수 있다.

목표를 낮게 잡고 그 목표를 이루는 작은 성취가 모이고 모이면, 마침내 그것은 큰 성공이 되어 돌아온다.

최고의 무기는 유연성

학창 시절, 방학만 되면 어머니가 인터넷 연결을 끊었다. 공부는 못하면서 하루 종일 컴퓨터 앞에 앉아 게임만 주구장창 하는 모습이 보기 싫어서 그랬을 것이다. 나는 워낙에 초등학교 때부터 컴퓨터 게임에 빠져 있었다. '바람의 나라'나 '디아블로'가 유행했던 시기여서 그 게임에 정신을 못 차렸다. 그때는 월 2만 원 정도 결제하고 게임을 해야 했는데, 아이들도 유선전화 한 통으로 쉽게 결제를 할 수 있었다. 물론 부모님 몰래 결제했다가 집에서 쫓겨날 뻔했지만 말이다.

게임 중독에 공부 못하는 아들이었지만 어머니는 그래도 독서실은 가게 해주셨다. 하지만 독서실은 나에게 공부하는 공간이 아닌 휴식 공간이었다. 친구들과 모여서 만화책을 돌려보거나 게임에 대한 수다만 떨었다. 어떻게 그 시간을 재밌게 보낼지만 궁리했다.

나에게는 이모가 세 명 있는데, 그 당시 모두 우리 집에서 30분 거리 내에 살았다. 나는 사촌동생들과 놀아준다는 핑계를 대고 툭하면 이모 집으로 놀러가 컴퓨터 게임을 했다. 어머니가 가끔 전화해서 어디서 뭘 하고 있는지 물었지만, 이모 집에 있다고 하면 별 잔소리 없이 넘어가셨다. 지금 생각해보면 이모들에게 고맙다. 공부 안 하는 조카가 이 핑계 저 핑계 대며 게임만 하고 있어도 귀찮아하는 내색도 없었다.

그 시절의 나는 그렇게 대책이 없었다. 게임을 못하게 하면 만화책을 빌려 보고, 놀다가 지치면 빈둥거리며 누워 있다가 잠만 자는 생활의 연속이었다. 그래도 좋아하는 일에 대해서는 무섭게 몰두하는 기질이 있었다. 게임할 때는 공략집을 찾아보지도 않았다. 잘 안 되면 더 잘하는 사람에게 잘하는 방법을 물어보거나 잘하는 사람과 대결하면서 실력을 쌓았다. 편법을 쓰거나 꾀를 부린 적이 거의 없다.

그 당시 오락실에는 레트로 게임기가 있었는데, 나는 그중에서 '삼국지 월광보합'이라는 게임을 좋아했다. 각 단계별 퀘스트가 있고 그것을 넘어설 때마다 점점 어려워지는 RPG 게임이었다. 친구와 나는 각각 100원씩 넣고 4시간 넘게 쪼그려 앉아서 그 게임을 했다. 새로운 방법을 찾아 서로에게 묻고 고민하면서 해결책을 찾았다.

정리하자면, 나에게 맞는 방법을 찾아 해결책을 스스로 찾아가는 게 중요하다는 뜻이다. '스타크래프트' 같은 전략게임을 잘하는 사람이 있는 반면, RPG 성장형 게임을 잘하는 사람이 있다. 두 가지는 각각 다른 성격의 게임인데 둘 다 잘하려고 하면 일찍 지치고 성과도 보이지 않는다.

만약 스마트스토어를 한다면 짧게라도 강의를 먼저 듣고 제품을 하나라도 올려보아야 한다. 블로그를 한다면 글을 하나라도 써서 올려야 한다. 초보자라면 이것저것 조금씩 시도하면서 효과가 나는 쪽에 집중해야 한다. 그리고 그 과정에서 '이것은 단지 부업이다'라고 편하게 생각해야 한다.

돈을 많이 벌어야 한다는 부담감에서 벗어나려면 고정된 월급이 있어야 한다. 그래서 너무 큰 목표를 세운 뒤 덜컥 직장을 그만두면 안 된다고 조언하는 것이다. 고정적인 월급이 있다면 나에게 맞지 않는 일일 때 그만두기 쉽다. 복잡하고 어렵다면 내려놓으면 된다. 스마트스토어, 네이버 블로그, 티스토리, 인스타그램, 쿠팡파트너스 중에서 성과가 좋은 것에 집중하면 된다.

나에게 어떤 것이 맞는지 찾아가는 과정이 중요하다. 두려워 말고 이것저것 도전해보는 것을 추천한다. 딱 한 번이라도 수익에 다가가는 경험을 하면 스스로에게 어떤 SNS 부업이 맞는지 알 수 있다.

'꼭 이것만이 답이다'라는 생각은 스스로를 지치게 만든다. 이 분야는 성과가 금방 나는 것이 아니라 굉장히 더디게 나타난다. 끈질기게 하나를 파고드는 것도 중요하지만, 잘 맞지 않는다면 과감히 포기하는 결단력도 중요하다. 유연성이 좋은 사람은 과격한 운동에도 쉽사리 팔다리가 부러지지 않는다. 재테크도 마찬가지다. 유연한 사고방식을 가진 사람이 잘 부러지지 않는다. 쉽게 말하면, 좌절감이 크게 찾아오지 않는다는 뜻이다. 잘 맞지 않으면 그만두고 빨리 다른 것을 시도해보기를 여러 번 하다 보면 나에게 가장 효율이 좋은 것을 찾을 수 있게 된다.

물론 시작부터 잘하는 사람도 있다. 하지만 그들은 자기에게 잘 맞는 분야를 찾았거나 그런 플랫폼에 익숙한 상태였을 가능성이 높다. 이런 분야에서 활동해보려고 한 적도, 해본 적도 없는 사람이 처음부터 대박을 치겠다는 기대를 해서도, 그런 바람을 품어서도 안 된다. 게임처럼 나의 성장이 눈에 보일 정도면 좋겠지만 SNS 부업은 그럴 수가 없다. 서서히 성장한다는 것을 잊지 말고, 성장하고 있다는 기분을 느낄 수 있어야 한다.

작은 목표를 세우고, 일일 계획을 달력에 적어놓자. 목표를 달성한 뒤 크게 표시를 해서 스스로가 그 성취감을 느낄 수 있도록 하자. 물론 목표를 달성했을 때 나에게 주는 멋진 보상도 마련해두면 더할 나위가 없다.

2단계: 작게 꿈꾸고
바로 실행하기

+ + +

뭐가 됐든 1부터 시작하기

초등학생 때 나의 장래희망은 과학자, 대통령, 우주비행사였다. 하지만 누구나 그렇듯, 나이가 들수록 장래희망도 변하기 시작했다. 중학생 때는 공무원이 무엇인지도 모르면서 어른들의 말을 듣고 '공무원'이라고 장래희망을 적었다. 고등학생 때는 막연히 돈을 많이 벌고 싶어서 대기업에 취직하고 싶다는 꿈을 꾸었다. 그 꿈이 이루어진 것일까? 지금은 특수 직장에서 9년간 재직

중이다.

　흔히 "꿈을 크게 가져라"라고 말하지만, 그렇게 살기는 쉽지 않다. 직장 생활 3년 차만 돼도 고정된 사고방식의 틀을 깨기가 힘들어진다. 실수하고 실패해도 괜찮다고 여기는 유연한 사고방식이 아니라, 자기가 맡은 일에 능숙해지면서 그런 일에 적합한 사고방식이 장착된다. 돌아보면 직장을 다니면서 크게 꿈을 꿔본 적이 없었다. 당연히 큰 꿈을 실현해낸 적도 없었다.

　그러다 보니 하루하루가 똑같은 일상이었다. 목표를 정해놓고도 좀처럼 실행하기가 쉽지 않았다. 일단 시작해봐야 그다음 단계의 스케일이 보이는데, 그 과정을 견디지 못하고 당장 커다란 성과를 내고 싶어 했다. 월 천만 원을 벌려면 무엇부터 시작해야 하는지 기웃거리기만 했다. 수강료로만 백만 원을 쓰면서 천만 원 목표에 더 빨리 다가가도록 안내해주는 곳은 없는지 찾아 헤맸다. '치트키'는 없는지 찾아다닌 것이다.

　많은 사람들이 게임을 좋아하는 이유 중의 하나는 성과가 보이기 때문일 것이다. 레벨 업하고 몬스터를 잡고 기술을 익히면서 캐릭터와 함께 내가 성장한다는 기분을 느낄 수 있기 때문이다. 결과값이 바로바로 눈에 들어와서 지루할 틈이 없다. 헤드업 디스플레이가 왜 나왔겠는가. 자동차 운전이 게임처럼 수치화되기 때문이다. SNS 부업도 결과값과 레벨 업이 수치화된다면 그

즐거움 때문에 중간에 포기하는 사람이 없을 것이다. 하지만 이 분야는 그런 수치화된 결과값이 없다. "이 정도 되었으니 곧 돈이 벌릴 겁니다. 90퍼센트가 채워졌으니 조금만 더 하면 됩니다"라고 알려준다면 얼마나 좋겠는가.

나는 스마트스토어를 알고 1년이 지나서야 겨우 첫 상품을 등록했다. 상품 1개 등록하는 것조차 나에겐 너무 힘들었다. 상품등록을 하기 위해서는 스마트스토어 가입을 먼저 해야 하는데, 그전에 도메인 주소와 스토어 이름을 정하는 데만 오랜 시간을 뺏겼다. 그리고 무언가를 실행하려는 순간, 전문가들에게 흘려들었던 정보들이 갑자기 머릿속에서 아우성을 쳤다. '그때 그렇게 하라고 그랬어. 그렇게 하면 안 된다고 하지 않았나? 잘못하면 어떡하지? 실수라도 하는 거 아닌가? 반품은 어떻게 하지?' 일어나지도 않은 일에 대한 걱정이 정신을 지배했다.

만약 이렇게 결단력과 실행력이 떨어지는 성향이라면 상품 1개를 등록하기 위한 과정을 30일로 나누어 진행하면 된다. '나는 실천력이 떨어지는 사람'이라고 정의를 내려놓고 아주 낮은 단계까지 목표를 낮추는 것이다. 카테고리, 상품명, 가격, 옵션, 대표이미지, 추가이미지, 상세페이지, 상품제공고시 등 각 단계마다 하루에 하나씩만 진행하는 것이다.

직장인은 당근보다는 채찍질에 더 익숙하다. 그러다 보니 몸

월급 말고 플러스알파, 온라인으로 돈 벌기

과 마음도 피로하고 고단하다. 그런데 부업에서까지 자신을 채찍질하면서 몰아붙이면 좌절감만 쌓일 뿐이다. 아주 작은 목표를 설정하고 매일 성공하는 과정을 눈으로 볼 수 있게 수치화해보자. 이 책을 읽는 대부분의 독자들이 지금까지 살면서 단 한 번도 판매자이었던 적이 없을 것이다. 상품을 수정해서 판매해보는 것도, 영상을 편집해서 유튜브에 올리는 것도, 글을 써서 블로그에 올리는 것도 결국 생산 활동이다. 소비자에서 생산자가 되어가는 과정에는 당연히 고통이 따를 수밖에 없다.

여기까지 읽었다면 3장으로 다시 돌아가서 각 단계별로 실행해보자. 시작하지 않으면 무엇도 내 것으로 만들 수 없다.

단 한 사람을 위한 콘텐츠 만들기

"나도 카페 사장 한번 해봐야지."

"오토 카페로 창업해서 300만 원씩 자동화 수익을 내봐야지."

"비 내리는 날, 에스프레소 한 잔 내려서 책 보며 사색하는 여유 있는 삶을 살고 싶다."

한 번쯤 이런 상상을 해봤을 것이다. 상상은 정말 현실이 될까? 못할 것도 없다.

나 또한 그런 꿈을 꾸며 프렌차이즈 창업설명회를 열심히 찾아다녔다. 그때까지만 해도 나는 프랜차이즈 약관이 전부 진실이라고 생각했다. 그래서 그들 말만 믿고 1억 원이 넘는 금액을 걸고 계약부터 했다. 하지만 실제로 몇 개월 운영해보니 오토 매장은 아무나 할 수 있는 것이 아니었다. 정말 완벽한 오토 매장이 되기까지 얼마나 많은 노력이 들까? 재료가 떨어지면 발주도 넣어야 하고, 직원을 관리하기도 해야 한다. 직원이 그만두면 새 직원을 고용하기가 어려워진다. 최저시급이 늘면서 고정비용 중 하나인 인건비를 무시할 수 없는 실정이기 때문이다. 아무리 유능한 직원이라도 사장만큼의 마인드를 요구하는 것은 어불성설이다. 사장이 빠져도 온전히 매출을 낼 수 있으려면 먹거리를 제외하고 놀거리, 즐길거리, 인스타 감성의 사진 촬영 장소도 반드시 필요하다.

예비 창업자들은 작은 매장을 오토 매장으로 염두에 둘 때 가장 중요한 조건을 외부에서 찾으려고 한다. 정작 가장 중요한 요건은 내부에 있는데 말이다. 솔직한 말로 오토 매장을 꿈꾼다는 말은 결국 '돈'을 중심으로 생각하고 있다는 것이다. 그런 마음가짐이라면 처음부터 창업하지 않는 편이 좋을 것이다.

나도 직접 경험하고 나서야 프렌차이즈 창업의 허와 실을 알 수 있었다. 특히 계약 시 부대비용에 대한 내용은 구체적으로 언급하지 않아 아무것도 몰랐다.

충분한 준비가 되어 있지 않은 상태에서 무턱대고 창업을 하는 것은 모험이나 다름없다. 나 또한 아무런 사전 지식이나 정보가 없는 상태에서 돈만 가지고 투자를 결정했고, 결국 인구 10만이 되지 않는 소도시, 그것도 상권조차 발달하지 않은 곳에 카페를 창업하게 되었다. 결과가 좋을 리 없었지만, 나는 이 실패 경험을 다른 사람들에게 들려주고 싶었다. 내가 살고 있던 지역의 맘카페에서는 무료 재능 기부 활동이 가능했다. 나는 단 한 명만 신청을 하더라도 내 경험담을 들려주고 싶다는 생각에 맘카페 운영진에게 승인을 받고 용기를 내어 모집 공지를 작성했다.

무료 커피를 제공하면서 카페 창업에 대한 주제로 강의를 열었다. 처음 해보는 강의라 준비하는데도 시간이 오래 걸렸다. 80장 정도의 PPT 자료도 준비했다. 카페 창업에 관심이 많은 초보자들이 꼭 알아야 하는 점과 위험 상황을 안내했다. 처음으로 일반인들 앞에서 강의를 하고 나니 대단한 성취감이 느껴졌다. 강의에 만족하고 돌아가는 사람들의 모습을 보니 내가 그들에게 도움을 준 것 같아 무척이나 뿌듯했다.

물론 무언가를 제공하는 입장이 되었을 때 하나부터 열까지 배운 것을 알려주기 위한 과정이 쉽지만은 않다. 하지만 그것을 해냈을 때 느낄 수 있는 무형의 만족감만큼이나 이것이 하나의 콘텐츠가 된다는 사실에 큰 영감을 받는다. 강의 내용을 PDF 파

나의 실패담도 콘텐츠가 될 수 있다. 내 경험담으로 단 한 사람에게 도움을 주겠다고 생각하면
콘텐츠 제작에 용기를 낼 수 있다.

일로 가공하면 '전자책'이 된다. 음성은 '팟캐스트'로, 영상은 '유튜브'에 업로드할 수 있다. 개인 블로그에 남길 수도 있다. 경험의 재가공이 곧 '콘텐츠'가 되는 것이다.

나의 실패담도 콘텐츠가 될 수 있다. 그리고 그 콘텐츠가 누군가에게는 큰 도움이 된다. 많은 사람에게 도움을 주겠다고 생각하지 말고, 내 경험담이 절실히 필요한 단 한 사람에게 도움을 주겠다고 생각하면 용기를 낼 수 있다. 부족함에 당당해져도 괜찮다. 강의 자료를 만들 때도 블로그 이웃이나 지인, 활동하는 카페 회원들에게 물어봐도 된다. 어떻게 하면 한 사람을 제대로 도와줄 수 있을지만 생각하면 된다. 내가 예전에 다른 사람의 강의를 들으면서 아쉬웠던 점, 다른 사람이 올린 콘텐츠를 소비하면서 기대했던 점을 떠올리면 된다.

'자동차 용품을 종류별로 추천해주면 좋겠다'는 생각은 '자동차 용품을 종류별로 추천하는 키워드를 잡아서 다수 상품을 추천'하는 방식으로 발전한다. 주제가 잡히면 수천 종의 자동차 중에서도 중고차 시장에서 인기 있는 차종을 선별해서 300개를 간추린 뒤 엑셀파일로 만드는 작업에 돌입한다. 인기 있는 차종 검색과 엑셀 정리에만 10시간이 걸리는 고된 일이지만 이런 정보도 나는 누구에게든 제공할 수 있다. 누군가에게는 아주 절실한 정보가 될 수 있으니 말이다.

단 한 명을 위한 콘텐츠를 만든다는 생각으로 접근하자. 한 명이 열 명이 되고, 열 명이 백 명이 된다.

오리지널에 집착하지 않기

술도 끊었고 담배도 피지 않지만 결코 끊지 못하는 한 가지가 있다. 다름 아닌 '과자'다. 과자 중에서도 나는 감자칩을 좋아한다. 특히 오리지널 포카칩을 가장 좋아한다. 그런데 2014년 즈음에 갑자기 '허니버터칩 대란'이 발생했다. '대란'이라는 말이 과장이 아닐 만큼 거의 모든 마켓에서 허니버터칩은 늘 품절이었다. 일각에서는 일부러 품절을 유도했다는 보도까지 나왔다. 제품은 없고 사고 싶은 사람은 많으니 가격은 높은 줄 모르고 계속 올랐다. 궁금함을 참을 수 없었던 나는 한 봉지에 5,000원을 주고 어렵게 허니버터칩을 구했다. 그리고 입안에 '허니버터칩'을 넣은 순간, 충격을 받았다. 그동안 포카칩에 익숙해져 있던 내 입맛에 반란이 일어난 것이다. 구하기 힘든 과자, 귀한 과자, 비싼 과자, 모두가 먹고 싶어 하는 과자라는 인식이 작동해서였을까? 내 1순위 과자는 이미 허니버터칩으로 바뀌어 있었다.

독서실이 변화되면서 스터디카페가 탄생했다. 최근에는 자전거보다 전동킥보드가 더 자주 보인다. 배달의민족 다음으로 요기

월급 말고 플러스알파, 온라인으로 돈 벌기

요, 배달통 등의 어플리케이션이 등장했고, 미국 아마존처럼 우리나라에는 쿠팡이 있다. 선구적인 무엇이 탄생하면 그 뒤로 그것을 벤치마킹한 다른 무엇이 우후죽순으로 생겨난다.

나는 돈을 버는 데는 무언가 특별한 것이 있을 것이라고 생각해왔다. 성공한 사람들은 자신만의 색다른 노하우가 있을 것이라고 생각했다. 하지만 그렇지 않았다. 꼭 오리지널이 아니어도 성공할 수 있다. 익숙하지 않은 것을 시도하는 사람은 '블루오션'이 될 수밖에 없다. 하지만 아무리 창의적인 방식이라 해도 내가 직접 해보지 않으면 아무런 의미가 없다. 내가 이미 철지난 스마트스토어와 블로그를 시작한 이유도 별나지 않다. 그저 얼마나 경쟁이 치열한지 직접 경험해보고 싶었기 때문이다. 경험도 지식도 없는 사람이 도전했을 때 얼마나 성장할 수 있는지도 궁금했다.

내가 레드오션이라는 스마트스토어에 들어갔을 때 많은 사람들이 도매사이트에서 물건을 떼서 스마트스토어에 올리는 것을 반복한다는 것을 발견했다. 가격대가 다 무너져서 마진율이 1~2%대인 상품이 있었다. 그중 하나가 가죽 필통이었는데, 도매사이트 기준 가격은 6,700원, 네이버 쇼핑 최저가는 6,300원까지 떨어져 있었고, 190여 개가 가격비교로 묶여 있었다. 상세페이지 내의 사진이 동일했는데, 아무도 그 사진을 바꿔서 판매해볼 생각은 없는 것 같았다. 그래서 나는 네이버 쇼핑 검색 광고를 집행했다. 100~200원까지 서서히 올리며 판매를 유도했고, 구매후기도 빠른 속도로 쌓여나갔다. 처음에 마진율은 20%, 지금은 50% 정도 된다. 후기 10개 정도가 등록되자, 이후 상세페이지를 완전히 새롭게 바꾸면서 광고비도 높게 책정했다. 그러자 판매율이 급등했다. 똑같은 상품도 조금만 다르게 접근하면 이렇게 완전히 다른 결과를 만들어낼 수 있다.

내 강의를 듣는 수강생 중 대부분은 변화를 두려워하고 무언가 시도해보기를 두려워한다. 지금 갖고 있는 것마저 잃을까 겁이 나는 것이다. 나는 그런 사람들을 위해 돈은 쓰지 않고도 차별화할 수 있는 방법이 무엇일까 고민했다. 질보다 양으로 승부해볼 수 있다면 어떤 방식으로 시도해봐야 할까를 생각했다. 그러자 아이디어가 떠올랐다.

전 국민이 가지고 있는 것은 무엇일까? 자동차와 휴대전화 수요가 5,000만이 넘어간다. 이를 종류별로 정리해보면 어떨까? 단순히 '차량용 햇빛가리개'라고 하면 너무 많은 상품과 경쟁해야 한다. 하지만 자동차 종류와 햇빛가리개를 붙여서 키워드를 쓰면 어떻게 될까? 아무도 이런 식으로 상품 검색을 하지 않을 것 같겠지만, 그렇지 않다. 지금 당장 네이버에 자동차 종류+상품명을 붙여서 검색해보자. 수십 개의 상품이 뜰 것이다. 이렇듯 경쟁이 치열해진다면 경쟁을 피할 수 있게 상품명을 붙이고 양으로 승부를 걸어 제품을 판매하면 된다. 가령 '진돗개+사료, 리트리버+사료' 등으로 접근하는 것이다. 이렇게 키워드를 잡으면 얼마나 많은 종류의 이름을 붙일 수 있겠는가. 이런 식으로 접근하면 집에서 키우는 화초로도 ○○○비료, ○○○영양제 등 수많은 상품 키워드를 입력할 수 있다. 그리고 그 이후 추가상품이나 옵션을 추가해서 하나씩 덧붙이면 수만 개의 선택지와 수백 가지의 선택사항을 입력할 수 있다.

너무 식상하고 익숙해서 차별화 포인트가 없다면 이런 방식으로 상품명을 지어서 판매해보자. 갑자기 할 수 있는 영역이 많아 보일 것이다.

사람들이 최저가만 산다는 생각도 선입견이다. 신경마케팅 분야의 최고 권위자 한스-게오르크 호이젤Hans-Georg Hausel이 쓴《뇌, 욕망의 비밀을 풀다Brain View》를 보면 우리 뇌에는 자극, 지배, 균형 시스템이 존재한다고 한다. 젊을 때일수록 자극과 지배 시스템이 활성화되어 새로운 것에 도전해보고 즐기는 데 주저함이 없다. 색다른 시도를 좋아한다. 즉 구매평이 없는 상품이라도 필요한 물건이라면 구매해보는 고객들이 존재한다는 것이다. 그런 이유로 고가의 상품도 판매가 일어난다.

내 강의 시간마다 수강생들은 매번 고민한다. "최저가가 너무 많아서 제 상품은 팔릴 것 같지 않아요." "제가 가격을 너무 비싸게 올린 것 같아요." "제가 파는 제품과 똑같은 제품을 다른 곳에서는 더 싸게 팔더라고요." 그런 말을 하면서 걱정스러워하는 수강생들에게 나는 매번 똑같은 조언을 한다.

"괜찮습니다. 다른 사이트와 비교하면서 내 상품이 팔릴지 안 팔릴지 생각하고 걱정하는 시간에 상품등록을 2개 더 해보세요. 판매가 일어나면 그때부터 또 다른 방식을 적용해보세요."

마케팅보다 빠른 입소문

나는 1년 동안 강의를 듣기만 했고 실행은 하지 않았다. 그러자 '나와 성향이 비슷한 사람', 즉 '실행력이 결여된 사람'을 위해 불편함을 해소해주는 서비스를 제공하고 싶다는 생각이 들었다. 그래서 스마트스토어에서 판매 '1'을 경험하고 싶어 하는 사람을 내 첫 번째 고객으로 삼았다. 그들이 지속적으로 판매를 유지하려면 무엇보다 단 한 번이라도 판매를 해보는 경험이 중요하다고 생각했다. 될까 안 될까를 고민만 하는 시간에 가능성을 보게 해준다면 판매를 지속할 수 있는 힘이 생기지 않을까?

그러자 이번에는 어느 단계까지 정보를 제공해야 되는지에 대한 문제가 따라왔다. 답은 분명했다. 내가 불편했던 것들을 대신

해줄 수 있다면 좋은 서비스가 될 것이었다.

이처럼 제공자의 입장이 아닌 소비자의 입장에서 생각할 줄 알아야 한다. 강의를 한다는 것은 소비자가 투자해야 할 시간을 줄여주는 것이다. 강의만 소비되는 것이 아니라 강의 내용을 직접 실행해볼 수 있는 단계로까지 끌고 가야 좋은 서비스다. 그래서 나는 zoom을 통해서 스텝 바이 스텝으로 정보를 알려주는 강의를 만들어야겠다고 생각했다. 내가 알고 느끼고 경험했던 모든 것을 알려주는 것이 제대로 된 서비스라고 믿었기 때문이다.

무엇보다 강의를 처음 들어본다는 수강생들과의 관계를 중요하게 생각해야 한다. 시중에는 유명한 사람들의 강의가 너무 많다. 내가 그들에 비해 인지도가 없다 해도 괜찮다. 대신 경험을 제공해주면 된다. 시중에 경험 위주의 강의가 흔하지 않은 이유는 무엇일까? 에너지가 많이 들고 사람마다 상황이 다르고 지식수준이 달라서 확신을 줄 수 없기 때문이다. 따라서 수강생들과의 소통을 통해 그들의 성향을 파악하고 그에 맞춰 강의를 진행하면 된다.

입소문은 무서운 것이다. 간판이 없고 온라인 마케팅조차 하지 않는 음식점이라도 사람으로 북적이는 가게는 특징이 있다. 예상하던 음식보다 더 훌륭한 음식을 제공하는 식당, 서비스가 뛰어난 식당은 사람들의 발길을 붙잡게 되어 있다.

나의 시간과 경험을 다른 이들에게 아낌없이 주자. 주기 위해 배우고 주기 위해 공부하면
내적 성장도 함께 이루어진다.

온라인 강의도 입소문에서 자유로울 수 없다. 나는 상품을 등록할 때 모아뒀던 500개의 엑셀 파일, 시작 전 동영상 파일, 39,000원 상당의 전자책 모두를 수강생들에게 추가로 제공했다. 한 땀 한 땀 수작업으로 직접 찾아낸 도매사이트 리스트도 나눠 주었다. 포기하고 싶어 하는 수강생을 붙잡고 끝까지 같이 가보자고 이끌어주는 것이 나의 목표였다. 그런 노력 때문일까? 내 강의를 들은 수강생들이 지인을, 친구를 소개해주기 시작했다. 주위에 내 강의를 적극적으로 추천해주고 어떤 도움을 받았는지 구체적으로 전해주는 홍보맨이 되어주었다.

조금 느리면 어떤가. 함께 가는 사람들이 주변에 많다는 것을 알면 천천히 가는 길도 지루하지 않다. 주는 것만큼 돌아오게 되어 있다. 무언가를 더 받으려 하기 전에 내가 무엇을 줄 수 있을지 먼저 생각하자. 오직 주는 것만 집중해보자. 주기 위해 배우고 주기 위해 공부하면 내적 성장도 함께 이루어진다. 아낌없이 주어보자. 그 이상으로 내가 채워지는 마법을 경험하게 될 것이다.

3단계: 돈이 돈을 버는
시스템 만들기

+ + +

두근두근 랜선 미팅

3단계까지 오는 과정도 결코 쉽지 않다. 다른 사람에게 나의 경험과 지식을 나눠주는 일은 말처럼 쉬운 일이 아니다. 더구나 수줍고 부끄러움이 많은 성격이라면 어떻게 해야 할지 몰라 더욱 난감할 것이다. 그런 사람들은 3장까지만 실행해도 된다. 강의하는 일이 맞지 않는 사람이 자신을 괴롭혀가면서까지 그 일을 실행할 이유는 없다. 하지만 사람들 앞에 서서 강의하는 게 부담스러운 사람은 온라인 강의에 도전해보면 어떨까?

사실 나 또한 강의를 오픈하기까지 꽤 망설였다. 내가 강의를 해도 되는 사람인지, 내 강의가 다른 사람에게 도움이 되긴 할지 걱정이 많았다. 그랬던 내가 어떻게 강의를 오픈하고 입소문으로 사람들이 찾아 듣는 강의 콘텐츠를 만들 수 있었을까?

첫째, 나를 믿어야 한다. 강의는 콘텐츠를 제공하는 일이다. 물건을 파는 것과 똑같다. 다른 사람들이 제공하는 물건이나 서비스보다 내가 제공하는 콘텐츠의 질이 떨어진다는 생각이 들기 시작하면 내 자신을 의심하기 시작한다. 하지만 이 한 가지만 기억하자. 우리 모두는 특별한 사람이다. 자신만의 이야기와 매력을 갖고 있는 사람들이다. 세상에 나를 좋아하는 사람이 단 한 명만 있다 해도 그를 대상으로 나의 지식을 나눠준다고 생각하면 된다. 자신감 없이는 좋은 강의를 만들 수 없다.

둘째, 사람들에게 필요한 서비스가 무엇인지 적극적으로 조사하고 직접적으로 물어본다. 나도 스마트스토어나 블로그 강의를 개설할 때 질문을 먼저 했다. 어떤 강의를 듣고 싶은지, 강의를 개설하면 들어줄 이웃이 있는지 열심히 조사했다. 딱 한 사람이라도 내 콘텐츠를 소비해줄 사람이 있다면 그를 위한 강의를 열겠다고 마음먹었다.

조사를 했다면 데드라인을 정해놓아야 한다. 막연히 생각만 하면 계속 뜸을 들이게 된다. 강의를 개설하기로 한 날짜를 정해 놓고, 사전 공지 띄워서 수강생을 먼저 모집하기 시작하면 움직일 수밖에 없게 된다. 수강생이 몇 명이 됐든 우선은 그들을 위한 강의를 시작해보자. 한 명이 됐든 두세 명이 됐든 시작에 방점을 찍어야 한다.

셋째, 강의를 하겠다고 대외적으로 공표한 뒤 콘텐츠를 만든다. 누군가에게 돈을 받고 내 지식을 제공하게 되면 최선의 서비스를 위해 노력하게 된다. 한 달 과정으로 강의를 개설하겠다고 선언하고, 콘텐츠를 만들어나가다 보면 처음에는 괴로울 것이다. 지나친 욕심으로 모든 것을 완벽히 만들어야 한다고 생각하면 부족한 자신을 만나게 되고, 그러면 자신감은 끝도 없이 떨어진다. 그러니 완벽해야 한다는 강박은 벗어버리고 첫 주차 콘텐츠부터 우선 만들어보자.

내가 스마트스토어 강의를 개설하기로 결심한 이유는 유명한 강의를 듣고도 궁금한 점이 해소되지 않았기 때문이다. 상품등록부터 해야 하나, 한두 개가 잘 안 됐는데도 계속 물건을 팔아야 하나 같은 궁금증이 있었기 때문이다. 나는 내가 궁금했던 점을 사람들에게 알려주고 싶다는 마음으로 강의를 준비해나가기 시작했다.

처음부터 다른 콘텐츠와 완벽한 다른 콘텐츠를 제공하겠다고 생각하면 힘들어진다. 첫 주차 강의는 실습 형태의 강의라고 생각하는 게 좋다. 물론 첫 콘텐츠를 만들 때는 최선을 다했지만, 그래도 모두를 만족시킬 수는 없었다. 첫 주차 강의 때는 약속한 상품등록을 완전히 못 끝낸 사람을 붙잡고 끝까지 알려주느라 5시간을 흘려보냈다. 첫 주차 강의는 시행착오가 있을 수밖에 없다고 생각하는 게 좋다.

넷째, 강의의 가격을 책정해야 한다. 가격을 책정하는 이유는 내가 제공하는 콘텐츠의 가치를 훼손하지 않기 위해서다. 좋은 정보를 무료로 제공하면 더 많은 사람들에게 더 많은 도움을 줄 수 있다고 생각할지 모른다. 하지만 무료 정보는 이미 유튜브에 차고 넘친다. 그런 무료 영상을 보면서 누구는 정말 도움을 많이 받았다며 고마운 재능 기부라고 생각할지 모르지만, 어떤 사람은 별것 없다고, 쓸모없는 정보라고 혹평을 한다. 접근성이 쉬워지면 그 콘텐츠의 가치 자체까지 폄하하는 사람들이 분명히 있다. 가격을 책정하는 것은 내 콘텐츠의 가치가 필요이상으로 저평가되는 일을 방지하기 위해서다. 내 콘텐츠의 가치를 알고 기꺼이 돈을 지불할 사람들에게만 서비스를 제공하겠다는 마음인 것이다.

나는 총 12번의 강의를 진행하면서 점점 강의료를 올렸다. 물론 횟수를 더해갈수록 더 실행력이 높은 콘텐츠를 제공했다. 그러니 강의료가 올라도 강의 만족도는 떨어지지 않았다. 오히려 평가가 더 좋아졌다. 특히 소통을 소홀히 하면 안 된다. 2시간 강의를 하기로 했다면 30분 이상 질의응답 시간을 가지는 게 좋다. VOD처럼 일방적인 강의의 단점을 보완할 수 있고 경쟁력을 가질 수 있다.

다섯째, 피드백을 적극적으로 받아야 한다. 블로그나 개인 SNS를 통해 강의 피드백을 요청하는 것이다. 즉 후기를 부탁하는 것이다. 후기를 달아주면 추가적인 서비스를 더 제공하는 방법도 있지만, 나는 그렇게까지는 하지 않았고, 강의에 대한 후기가 더 질 높은 강의를 만드는 데 도움이 된다는 쪽으로 접근했다. 강의에 만족하면 특별한 서비스를 제공하지 않아도 수강생들이 자발적으로 후기를 달아준다.

여섯째, 양방향 소통 강의에 녹화 형식의 강의를 섞는다. 강의 중간에 수강생들이 했던 질문을 FAQ(자주 묻는 질문) 형식으로 바꿔서 녹화본을 만들어 미리 제공하는 것도 하나의 방법이다. 물론 추가적인 작업이고 만만치 않은 수고가 필요하지만, 그런 서비스를 제공했을 때 수강생들의 만족도는 한껏 높아진다. 수강생들은 일방적인 강의보다 자신의 궁금증을 정확히 짚어주고 해소해주는 강의를 훨씬 좋아한다.

인기 강의를 만드는 것은 실력도 운도 노력도 필요하다. 하지만 이 모든 것 중에서 가장 중요한 것은 나에 대한 믿음과 확신이다. 진부한 이야기일지도 모르지만, 자신에 대한 믿음이 있어야 타인에게 베풀 수 있다. 물론 강의를 진행하다 보면 나를 곡해하고 음해하는 사람들도 생겨난다. 그럴 때 내 자신에 대한 믿음이 있다면, 내가 나를 스스로 비난하고 몰아세우는 상황으로 확장되지 않는다.

만약 내가 만든 모든 강의가 좋은 평가를 받고 원하는 만큼 소비되지는 않는다면 내 스스로가 적극적으로 판로를 개척하는 개척자가 되어야 한다. 가만히 앉아 있는데 수강생들이 찾아와 환호하지는 않는다. 콘텐츠를 만들어놓았다면 그다음부터는 영업 기술과 홍보 역량을 키워야 하고, 자신을 직간접적으로 알려야 한다. 검증된 서비스와 좋은 콘텐츠가 있다고 해도 받아줄 사람이 없다면 무용지물이니까 말이다.

살아 있는 소통의 광장 플랫폼

2015년에 그리스로 신혼여행을 갔다. 2시간 일찍 인천공항에 도착해서 탑승 전 수속을 밟은 뒤 면세점에 가서 선물을 사고 이곳저곳 돌아다니다 탑승구까지 자연스럽게 이동했다. 공항은 다 그렇다고 생각했는데, 러시아 항공사를 경유해서 이동하다 보니 인천공항이 왜 세계적인 공항인지 알게 되었다. 러시아 공항은 탑승구로 가기까지가 매우 혼란스러웠다. 가볍게 쉴 수 있는 공간이 제대로 마련되어 있지 않다 보니 상당히 불편했다. 인천공항은 탑승 수속 과정을 축소하고 공항 안에서 시간을 더 쓸 수 있도록 체계적으로 공간을 구성해놓았다.

플랫폼platform을 번역하면 '기차역의 승강장'이다. 하지만 경제용어로 풀면 '기업의 서비스 시스템을 통해서 소비자에게 편리하고 다양한 정보를 공유하는 장소'라고 설명할 수 있다. 우리가 알고 있는 SNS 플랫폼인 유튜브, 카카오톡, 네이버, 페이스북, 인스타그램, 틱톡 등은 특정 사용자가 그곳에서 볼거리, 즐길거리, 먹거리를 다 누릴 수 있게 만들어놓았다. 나는 네이버 블로그와 카페에도 많이 가입되어 있고, 여전히 네이버쇼핑을 하며, 카카오톡에서는 쇼핑(선물)을 하고, 오픈채팅방도 여러 개가 개설되어 있다. 취미, 직업, 생각, 습관, 관심사마다 플랫폼 안에 또 하나의 소주제 플랫폼이 있는 것이다.

개인이 네이버 카페를 만든다고 해도 시간이 많이 걸린다. 그러니 이미 개설된 카페에 가입해서 지속적으로 글을 쓰는 것이 훨씬 효율적이다. 자신이 관심 있는 주제의 카페에 꾸준히 글을 올리면 카페 회원들은 도대체 이 사람은 누구인가 궁금해하기 시작한다. 그리고 그들은 네이버 카페에만 머물지 않고 개인 블로그로까지 넘어온다. 네이버 카페에서 글쓴이의 프로필을 클릭하

인터넷 플랫폼은 이제 우리의 일상적인 공간이 되었다. 진정성을 가지고 접근하면
인터넷 플랫폼 내에서도 충분히 깊이 있는 소통이 가능하다.

면 블로그로 연결되기 때문이다. 그렇게 많은 사람들과 이웃이 되는 것이다.

나의 글에 공감하고 호기심을 갖는 사람이 많아지려면 진정성 있는 글을 써야 한다. 우리가 흔하게 쓰는 '진정성'이라는 말의 사전적 의미는 '진실되고 참된 성질'이라는 뜻이다. 그러니 글을 유려하게 잘 쓰는 것보다 진실함을 담아내는 데 초점을 맞추면 된다. 1단계 회원에서 2년간 꾸준히 글을 쓰면 카페 운영진에게 제휴를 제안할 수 있다. 카페 내에서 활발하게 활동하면 운영진도 나에게 관심을 가질 수밖에 없다. 내가 가장 열심히 활동한 카페는 렘군이 운영하는 '푸릉'이라는 부동산 카페였다.

블로그에서 스마트스토어 강의를 진행했던 경험으로 부동산 플랫폼 '푸릉'에서도 강의를 할 수 있게 되었다. 나의 경력이 카페 성격과는 조금 달랐지만, 푸릉 카페에 모인 회원들과 지속적인 소통을 해왔기에 좋은 기회가 왔을 때 잡을 수 있었다.

처음 플랫폼에서 강의를 오픈하고 30명 모집에 10명 정도만 모집되었을 때도 정말 감사하다는 생각이 들었다. 그렇게 첫 번째 강의를 마치고 두 번째, 세 번째 강의에서부터 30명 수강생이 조기 매진되었다. 당분간 나는 라이브 밀착형 강의를 지속할 계획이다. 첫 판매의 짜릿한 경험을 수강생들도 느껴보았으면 하는 마음이 크기 때문이다.

2년의 시간 동안 일주일에 한 번이라도 관심 있는 카페에서 정성스럽게 글을 쓰고 댓글을 달아보자. 그 작은 것들이 모이면 결코 무시할 수 없는 큰 결실이 되어 돌아온다. 꾸준히 성실하게 시간을 쌓아온 사람에게 행운이 찾아오는 것이다.

생각지도 못한 또 하나의 파이프라인

블로그 이웃 한 분이 블로그에 댓글을 남겼다.

이웃: 안녕하세요. 제가 주말에는 아이를 봐야 해서 시간이 없습니다. 다른 강의는 많이 들어봤는데 직접 이끌어주는 강의는 없었어요. 1:1로 수업을 들을 방법이 없을까요?

혜람: 네, 정말 죄송합니다. 다른 분들과 같이 들으시는 게 더 효과가 좋은 강의라서 1:1 코칭이나 컨설팅은 진행하지 않고 있습니다.

이웃: 제가 유명한 강의는 다 들어봤는데 실행은 못해봤어요. 강의를 듣기만 하고, 도저히 무엇부터 해야 될지 모르겠더라고요. 꼭 좀 도와주시면 안 될까요?

혜람: 제가 도와드릴 수 있는 범위는 상품 1개를 팔아보는 경험을 안겨드리는 것밖에 없습니다. ○○○님의 요구를 충

족시켜드릴 수 없을 것 같아 정말 죄송합니다.

그리고 한 달 뒤에 다시 블로그로 연락이 왔다.

이웃: 안녕하세요, ○ ○ ○ 이에요. 강의하시는 모습을 다시 봤
는데요. 다른 분들은 판매가 일어나고 있을 때 저는 아직
도 실행을 못했네요. 저는 다른 욕심 없고 우선 1개라도
팔아보는 경험만 가져보고 싶어요.

다른 사람들과 같이하면서 서로 자극을 주고받는 에너지도
무시하지 못하기 때문에 이웃의 제안에 심각하게 고민했다. 결
국 이웃의 간절한 마음에 흔쾌히 도와주겠다고 대답했다. 강의
료는 1:다수 강의료와 동일하게 받았다. 그동안 제공해보지 않은
서비스를 갑자기 제공해야 하는 상황에서 쉽게 가격을 책정할 수
가 없었다. 그런데 이웃분이 첫 주차 강의가 끝나자 강의료를 2
배 더 입금해주셨다. 그분에게만 특별한 비법을 알려준 것도 아
니고, 다수 강의에서와 똑같은 내용으로 강의를 했을 뿐인데 도
움을 많이 받으셨는지 자발적으로 그만큼의 강의료를 입금해주
신 것이다.

이 경험을 통해 한 가지 배운 것이 있다. 고객이 고마움과 미

안함을 느끼면 자발적으로 더 많이 주고 싶어 한다는 점이다. 나는 단지 그분에게 꼭 필요한 콘텐츠를 제공하는 데 초점을 맞추었을 뿐이다. 하지만 그 뒤로는 두세 분을 제외하고 더 이상 1:1 컨설팅 형식의 강의는 진행하지 않았다. 비효율적인 점이 많았기 때문이다.

그렇다면 1:1 컨설팅 형식의 강의를 어떻게 하면 효율적으로 진행할 수 있을까? 강의를 많이 듣다 보니 훌륭한 강의가 있는 반면, 도움이 되지 않는 강의도 많았다. 사실 강의료가 실행력의 차이를 가져온다. 200만 원짜리 강의와 20만 원짜리 강의의 실행력 차이는 명백하다. 하지만 아직까지 한 사람을 위해 어떤 식으로 차별화된 서비스를 제공할 수 있을지는 잘 모르겠다. 내가 조금 더 성장하면 1:1 강의도 개설할 수 있을까? 누군가는 이런 말을 하기도 한다.

이웃: 그냥 더 많은 서비스를 제공하고 돈 많이 벌면 되지 않나요? 다른 사람들은 다 그렇게 하잖아요.

하지만 한 번 잃은 신뢰는 만회하기 어렵다. 내가 늘 경계하며 스스로에게 던지는 질문이 있다.

'경험까지 도움이 되었는가?'

'도움이 되지 않았다면 그 원인과 이유는 무엇일까?'

'사람들의 실행을 이끌어내지 못한 이유가 무엇이었을까?'

'어떤 점을 더 보안해서 실행을 이끌어낼 수 있을까?'

'지금 당장 실행하지 않는 사람들을 실행하게 하려면 어떻게 해야 할까?'

이 질문에 대해 늘 고민하고 해결책을 찾아본다.

내 강의를 들은 수강생들이 매출을 내고 순수익을 끌어올리지 못하면 내 강의는 다른 사람들에게 신뢰를 얻기 어렵다. 내가 아무리 진실하고 정직하게 수업을 하고 정보를 공유한다 하더라도, 수강생들에게 판매를 성공시킬 수 있는 성과를 만들어주지 못하면 완전히 신뢰받기 어렵다. 내 역할이 그것이기 때문이다. 내 스스로 다른 사람에게 도움을 주는 역량을 갖췄더라도 그것을 받는 사람이 그렇게 느끼지 않는다면 온전히 신뢰받지 못한다. 그러니 설령 돈을 많이 벌 수 있는 기회가 오더라도 쉽게 유혹에 넘어가면 안 된다.

나비는 번데기에서 나오기 직전이 가장 고통스럽다. 지금 이 순간 컨설팅 비용이 달콤한 열매처럼 보이더라도 참고 기다리고 인내해야 한다. 돈이 아닌 사람에게 초점을 맞추고 관심을 두다 보면 또 다른 파이프라인이 생겨날 것이다.

잘할 수 있는 일에만 집중하는 효율성 추구

현재 나는 순수익 150~200만 원 정도의 온라인 쇼핑몰을 운영하고 있다. 조급함을 내려놓은 뒤부터는 어떻게 하면 쇼핑몰에 투자하는 시간을 줄이고, 각각의 업무를 다른 사람에게 위임할 수 있을지 고민한다. 초반에는 작은 사업체의 모든 업무를 스스로 하겠다는 마음 때문에 발전이 늦어졌다. 내가 잘 못하는 업무는 잘하는 사람에게 위임하는 게 사업체가 발전하는 길이다. 하지만 막상 직원을 고용하기에는 인건비가 부담스러웠다.

스마트스토어를 운영한다는 것은 쇼핑몰 전체를 운영한다는 것이다. 그 쇼핑몰을 빠르게 성장시키기 위해서는 세 가지 면에서 지식과 경험을 쌓아야 한다. 상세페이지에 쓸 카피라이트와 제품을 알리기 위한 마케팅, 고객 피드백이 그것이다. 그 외 업무인 상세페이지에 사용할 제품 사진을 찍고 디자인을 하고 시각적 요소를 배치하고 택배를 보내는 일 등은 다른 사람에게 맡기면 운영을 매우 효율적으로 할 수 있다. 반드시 내가 이 일을 해야 하는지, 당장은 돈이 들더라도 다른 사람에게 업무를 위임해서 장기적으로 봤을 때 내 시간을 절약할 수 있는지 신중히 생각해봐야 한다.

마이클 하얏트^{Micheal Hyatt}가 쓴 책 《초생산성^{Free to Focus}》에서는

능력과 열정을 축으로 하는 4분면을 갈망, 산만, 무관심, 고역 영역으로 구분하고, 갈망 영역이 아닌 다른 영역의 업무는 다른 사람에게 위임하고 본인은 가장 잘할 수 있고 높은 생산성을 낼 수 있는 업무에 집중하라고 조언한다. 고역은 '몹시 힘들고 고되어 견디기 어려운 일'을 가리킨다. 스마트스토어로 말하자면, 고역 영역에 포함되는 것이 배송업무다. 제품을 박스에 포장하고, 송장이 나오는 라벨을 뽑거나 출력해서 붙인 뒤, 우체국이나 편의점에 가서 택배를 고객에게 보내는 것이 배송업무다. 만약 집에서 직접 택배 1개를 포장하고 보낸다면 적어도 15분 이상이 걸릴 것이다. 하루 10건의 주문을 처리하기 위해서는 최소 2시간 이상은 신경을 써야 한다는 뜻이다. 그런데도 막상 직원을 고용하려면 부담스러울 때가 있다.

이때 필요한 것이 3PL 업무다. 3PL^{Third Party Logistics}은 '제3자 물류'의 약자로 물류부문의 전부, 혹은 일부를 물류 전문 업체에 맡기는 것을 말한다. 이를 통해 기업(서비스 사용자)은 물류비용을 절감할 수 있고, 물류에 들어갈 비용과 노력을 다른 곳에 투자함으로써 고객서비스를 강화할 수 있다. 즉 기업이 업무의 일부를 제3자에게 위임해 처리하는 것을 말한다.

위탁판매도 도매처에서 물건을 보내주는 사람이 배송업무를 대신해주기 때문에 마진이 줄어들 수밖에 없다. 하지만 이곳을 활용하면 숙련된 직원을 통해 물류에 들어갈 노동력을 절감할 수 있다. 회계를 맡기는 것과 비슷한 것이다. '그깟 2시간 투자가 뭐 그렇게 대단하다고 돈을 주면서 외부 인력을 쓰라는 거야?'라는 생각이 들 수도 있지만, 실제로 일하다 보면 2시간을 훌쩍 넘기기 일쑤다. 반품업무도 마찬가지다. 내가 하기 어려운 고역 영역을 제거함으로써 얻는 시간에 마케팅, 글쓰기, 상품 소싱 등을 배우면 생산 활동에 집중할 수 있어서 훨씬 효율적인 운영이 가능하다.

나는 카페를 창업하면서 좋은 관계로 지내던 직원에게 배송 업무와 상품등록 업무를 부탁했다. 그러니 하루 1시간 이상의 여유시간이 생겼다. 지금도 나는 어떻게 하면 시간을 적게 들이면서 더 생산적인 일을 할 수 있을지 끊임없이 고민하고 새로운 방법을 시도해보고 있다. 스마트스토어 강의를 하며 초보자를 위한 소싱리스트, 엑셀파일 정리 등도 대신해주고 기꺼이 나누는 이유도 초보자들이 그 시간을 아꼈으면 하는 마음에서다.

"돈이 없는데 어떻게 일을 외부에 맡겨?"라고 반문하는 사람이 있을 것이다. 하지만 시간은 곧 돈이다. 사진 촬영을 한 번도 해보지 않은 사람이 10시간을 집중한다고 해서 전문가처럼 할 수 있을까? 나도 그런 생각이 들어 36만 원 미니스튜디오 장비를 구매해서 직접 촬영해보았다. 10시간 내내 촬영해도 사진 퀄리티는 좋아지지 않았다. 크몽 사이트에 '제품 사진 촬영'이라고 검색하면 퀄리티 좋은 수많은 사진이 나오는데 그런 수고를 할 필요가 있을까? 사진 1장당 평균 15,000원 정도로 판매하고 있는데 15,000원으로 10시간을 아낄 수 있다면 투자할 만한 금액이라는 생각이 든다.

전문적인 일은 전문가에게 맡기자. 주요 업무 외 자잘한 일들도 아르바이트생을 고용하면 된다. 나는 내가 할 수 있는 생산성 높은 다른 업무에 신경을 써야 한다. 멀리 내다봤을 때 그렇게 하는 것이 훨씬 많이 남는 장사다.

연봉 1억이 부럽지 않은 황금 열매의 씨앗

월급쟁이 직장인이자 카페를 운영하는 자영업자로 살아가면서도 왠지 모를 불안감이 있었다. 주식과 비트코인으로 2,000만원을 잃었고 카페를 창업한 이후에도 자동화 시스템으로 실패를 경험했다. 카페를 매각하기로 결심하고 이어서 부동산 투자로 눈을 돌렸다. 2021년 1월 첫 아파트를 매입했다. 부동산 투자는 처음이었고 공부를 많이 하지도 않았지만, 첫 투자는 성공적이었고, 부동산 하락이 지속되는 중에도 다행히 가격 방어를 하고 있다.

이렇게 연봉 1억 원도 부럽지 않은 황금 열매의 씨앗에는 세 가지가 있다.

첫째, 부동산이다. 부동산의 가격이 주식처럼 급락하지 않는 이유는 주거의 안정 때문이다. 부동산 투자에서 빠르게 성공할 수 있는 방법은 스마트스토어에서의 성공과 다를 게 없다. 바로 '선 경험 후 공부'다. 실수도 빨리 하는 편이 좋다. 투자가 아닌 실제 주거지라도 부동산 가격이 오를 때는 부동산이 눈에 잘 들어오지만, 전월세의 경험만 있는 사람들은 지금 사면 너무 비싸다는 생각밖에 들지 않는다. 제대로 된 판단을 할 수 없는 것이다. 물론 모든 사람들이 투자에 대해 긍정적인 것은 아니다. 브라운 스톤이 쓴 책《부의 본능》을 보면 이런 문장이 나온다.

"심리학 연구결과에 따르면 인간은 이득보다 손실에 2배나 민감하게 반응한다고 한다. 심리학자이자 행동경제학자인 아모스 트버스키와 대니얼 카너먼은 손실회피를 얻은 것은 가치보다 잃어버린 것의 가치를 크게 평가하는 것이라고 말한다. 예컨대, 1만 원을 잃어버렸을 때 느끼는 상실감은 1만 원을 얻었을 때 느끼는 행복감보다 크다는 것이다. 정서적으로 2배의 차이가 난다는 실험결과가 있다."

집값이 오를지 내릴지 불확실한 상황에서 우리 뇌는 돈을 버는 것보다 잃지 않는 쪽을 선택한다. 집값이 하락할 것이라고 생각하는 사람들이 전세를 선호하는 경향이 높은 이유다. 중립적인 입장에서 부동산이 왜 오르내리는지 원리만 알더라도 다른 사람들의 말에 잘 휘둘리지 않을 것이다.

둘째, 꾸준히 글을 발행하는 것이다. 내가 플랫폼에서 안정적으로 강의를 이어나갈 수 있었던 이유도 2년간 꾸준히 카페와 블로그에 글을 남겼기 때문이다. 그 씨앗들이 잘 자라서 싹을 틔우고 나무가 되어 가지를 하나 둘씩 엮어나가고 있는 것이다. 이 씨앗들은 흩어지지 않고 한곳으로 모이고 있다. 두 나무의 가지가 맞닿아서 결이 서로 통한 연리지 같다는 생각이 든다.

셋째, 사람과의 관계다. 내가 만나는 모든 사람을 똑같이 소중히 대하려고 노력해야 한다. '삼인행 필유아사三人行必有我師'라는 말이 있다. 세 사람이 같이 길을 가면 반드시 내 스승이 있다는 뜻으로, 세 사람이 어떤 일을 하면 좋은 것은 본받고, 나쁜 것은 경계하게 되므로 선악 간에 반드시 스승이 될 만한 사람이 있다는 뜻이다. 그렇다. 누구를 만나더라도 배울 점이 있다. 그 사람의 좋은 점은 받아들이고 나쁜 점은 버리면 된다.

스물두 살 즈음에 선배로부터 이 말을 전해 듣고 그때부터 마음속에 간직해둔 말이다. 누가 언제 어떤 역할로 황금 열매를 맺

민들레의 그 작은 씨앗들은 땅에 뿌리를 깊게 뻗어 민들레가 꽃을 피우고 씨앗을 퍼뜨릴 수 있게
돕는다. 지금은 보잘것없어 보이는 활동이라도 언젠가는 민들레처럼 피어날 것이다.

는 나무의 씨앗이 될지 모른다. 그러니 스쳐가는 인연도 소중히 여겨야 한다. 잘 안 되던 일이 인연을 맺었던 누군가의 도움 덕분에 잘 풀릴 수 있다. 만나는 사람들을 소중히 대하다 보면 귀인을 얻게 된다.

나는 천성적으로 부탁을 하지 않는다. 어릴 때부터 누구한테든 쉽게 부탁하지 말라고 배웠다. 그리고 되도록이면 먼저 받지 말라는 것도 배웠다. 사람들과 좋은 관계를 맺는 방법 중 하나가 바라지 말고 먼저 주어야 한다는 것이다. 물질적인 것을 주라는 뜻이 아니다. 돈이 아닌 시간을 주라는 것이다. 내가 시간을 투자해서 얻었던 정보와 지식을 주고, 시간을 투자해서 사람들과 인연을 맺고 관계를 유지하라는 뜻이다. 내 시간이 소중하듯 다른 사람의 시간 또한 소중히 여기는 마음 역시 중요하다.

나는 누군가가 나에게 건넨 스쳐 지나가는 한마디라도 소중하게 여겼다. 아무리 별것 아닌 말이라도 당연하게 받아들이지 않았다. 그들의 이야기를 귀담아 들었고 녹음해서 수십 번 반복해서 들었다.

민들레는 씨앗을 퍼뜨리기 직전 화려하게 피어난다. 흩어지는 씨앗들이 별 볼일 없게 보일지 모르지만, 그 작은 씨앗들은 땅에 뿌리를 깊게 뻗어 영양분을 흡수하여 민들레가 꽃을 피우고 씨앗을 퍼뜨릴 수 있게 돕는다.

지금 우리가 하는 일들이 너무 작고 하찮게 보여서 더 이상 하고 싶지 않다는 생각이 들 때가 있을 것이다. 이런 일로 시간을 낭비해야 하나 회의가 들 때도 있을 것이다. 그러나 그 작은 활동이 언젠가 황금 나무 씨앗의 역할을 대신해준다. 대신 그 씨앗이 자랄 시간을 주어야 한다는 걸 잊지 말아야 한다.

어려움이 닥치더라도 포기하지 않았으면 좋겠다. 성공의 경험도 실패의 경험도 다 나의 거름이 되어 나를 성장시켜줄 것이다.

지치지 않고

황금거위를

만드는 법

직장인만
모르는 것

+ + +

　대학을 졸업하고 첫 직장에 들어갔다. 첫 월급은 '140만 원'. 너무나 소중한 월급이었다. 6년 후 월급이 세후 400만 원까지 늘어났다. 늘어난 소득만큼 씀씀이도 커졌다. 승용차를 사고 결혼을 했지만, 외벌이로도 가정 경제를 책임질 자신이 있었다. 무모하면서도 철없는 생각이었다. 결혼을 하고 나니 챙겨야 할 식구들, 경조사도 많았고, 아이가 태어나고 나서는 온통 돈 쓸 일뿐이었다. 점점 어깨가 무거워지기 시작했다. 그러다가 대출을 받아보자는 생각이 들었다. 월급만으로 생활이 힘드니 재테크로 여윳돈을 마련해야겠다는 생각이 든 것이다.

우리 세대 부모님이 대부분 그렇듯 나의 부모님도 빚에 대해 부정적이었다. '대출은 절대 안 된다.' '대출은 나쁘다.' '당장 갚아야 될 돈이다'라고 생각하셨다. 그러니 나도 그런 생각을 고스란히 이어받아서 은행과 친하지 않았다. 그러다가 불과 몇 년 전에야 대출에 대한 부정적인 생각이 바뀌었다. 주식투자를 하기 위해 처음으로 대출을 받으면서였다. 은행에 간 나는 은행 직원에게 조심스럽게 물었다.

"혹시 저도 대출을 받을 수 있을까요?"

은행 직원은 무덤덤한 표정으로 말했다.

"신분증 보여주세요."

내 신분증을 조회해본 직원의 표정이 갑자기 환하게 바뀌면서 나에게 되물었다.

"아, ○○ 직장 다니시네요? 1등급이세요. 금액은 얼마나 필요하신가요?"

직원의 밝은 목소리에도 나는 여전히 주저하며 물었다.

"얼마나 받을 수 있나요? 최대로 받을 수 있는 금액이 어느 정도인지 알려주시겠어요?"

"최대 9,000만 원까지 가능하세요. 다 해드릴까요?"

9,000만 원이라니! 내 인생에 희망이 보이는 것 같았다. 나는

뛰는 심장을 진정시키며 답했다.

"네, 다 해주세요."

이후 서류에 사인을 하고 대출과 관련된 설명을 들었는데 도통 알아들을 수가 없었다. 처음 경험하는 일인 데다 생각지도 못한 큰 액수에 정신이 하나도 없었다.

2020년 은행 신용대출로 받은 9,000만 원에 대한 금리는 2.5%, 내가 한 달에 낼 돈은 20만 원에 불과했다. 한 달에 20만 원으로 9,000만 원의 돈을 당장 사용할 수 있다는 사실에 빚에 대한 편견이 완전히 사라졌다. 5년 동안 안 쓰고 모아야 만져볼 수 있는 금액을 지금 당장 손에 쥘 수 있게 된 것이다. 가슴이 부풀어오르기도 했지만 난생 처음 만져보는 큰돈에 덜컥 겁이 나기도 했다.

우리는 15~20년간 초중고 교육을 받고 중소기업이나 대기업, 공직 등 다양한 직군에서 직장 생활을 시작한다. 사회초년생이 받는 월급 200만 원의 가치는 단순히 생활비, 적금, 보험, 차비 이런 것들에만 있는 것이 아니다. 월 200만 원은 건물로 따지면, 10억 원의 건물이나 상가에서 받는 월세 수준이다. 이런 가치를 모르고 있는 사람들이 대부분이다. 연예인만 소속사가 있는 것이 아니다. 직장인도 '기업'이라는 큰 범주에 속해 있다.

지금 당장 '대출은 나쁘고 위험하다'는 인식을 바꿔놓고 싶지는 않다. 다만 누군가는 대출받은 돈으로 자산을 불리고, 또 누군가는 이 돈으로 시간을 사서 투자 공부를 한다. 직장에서 받는 월급의 가치를 아는 것만으로도 충분하다. 무언가를 좋고 나쁘다고 따지기 전에 가끔은 중립적인 입장으로 세상을 바라보는 자세가 필요하다.

월 천만 원의
함정

+ + +

어떤 사람이 월 천만 원을 버는 걸까? 공부를 많이 한 사람? 좋은 직장에 다니는 사람? 머리가 좋은 사람? 많은 사람들이 월 천만 원 버는 사람을 부러워하지만, 나는 그런 사람들을 궁금해하고 부러워하기 전에 월 천만 원이 필요한 이유에 대해서 묻고 싶다. 꼭 월 천만 원을 벌지 않아도 되는 사람이 있으니까 말이다. 많은 사람들이 프렌차이즈의 수익률 표만 믿고 덜컥 계약하는 우를 범하곤 하는데, 나는 그런 사람들에게 꼭 이야기해주고 싶다. 왜 월 천만 원을 벌고 싶은지, 그 돈이 왜 필요한지 스스로에게 먼저 물어보라고 말이다.

　이유와 목적이 분명하다면 월 천만 원을 벌 수 있는 방법은 다양하다는 사실을 알아야 한다. 주식과 부동산만 있는 게 아니다. 하지만 반드시 명심해야 하는 또 하나의 사실은 돈은 쫓아가면 달아나는 습성이 있다는 점이다.

　내 강의를 들은 수강생 중에 가장 높은 성과를 올린 사람은 월 50만 원만 더 벌고 싶어 하는 사람이었다. 월 천만 원을 벌고 싶어 했던 수강생들은 몇 번 시도하다가 더 빨리 돈을 벌 수 있는 길을 찾아 떠난다. 왜 그럴까? 50만 원만 얻고 싶은 사람은 작은 성과를 소중히 여길 줄 알기 때문이다.

　반면에 월 천만 원의 목표를 가진 사람 중 일부는 소비만 즐길 확률이 높다. 실행하기보다는 정보를 소비만 하고 있을 가능성이 높다는 뜻이다. 내가 그랬다. 1년간 정보만 소비했다. 그래서 강의를 개설했을 때도 월 천만 원이라는 목표가 아닌, 물건 1개를 팔아보는 경험에 무게를 뒀다. 시작을 해야 열망하고, 작은 성취를 맛봐야 다음 단계로 나아갈 수 있기 때문이다. 시작하지 않고 바라기만해서는 아무것도 이뤄낼 수 없다. 이것이 나에게 맞는지, 맞지 않는지는 다양한 경험을 통해서 찾아가야 한다.

　시간은 상대적이다. 나도 최근에는 동기부여 영상을 제외하고 다른 사람의 강의를 거의 보지 않는다. 다양한 것을 보고 듣고 귀를 열어두는 것도 중요하지만, 절대적인 시간이 부족하다면 실행을 도와주는 영상 하나를 보고 작은 성과가 날 때까지 실행해보는 것이 더 중요하다. 보통 노하우 관련 영상을 10분간 실행해보려면 일주일 내내 시간을 쏟아야 하는 경우도 있다. 직장을 다닌다면 하루에 2~4시간 정도밖에 시간이 없다. 그러니 일단은 달려가보자. 그래야 답이 나온다.

가장 안전한 투자는
OO다

+ + +

    나는 독서를 통해 삶이 변한 사람 중 하나다. 부정적인 성향이 긍정적으로 바뀐 것도, 어머니를 용서하게 된 것도 다 책을 통해서였다.

    나는 가난한 가정에서 자랐고, 초등학교 시절부터 어머니에게 언어폭력을 받으며 자랐다. 맞는 고통보다 언어폭력의 고통이 더 심했다. 중학교 2학년 때는 '죽음'에 대해 생각하기도 했다. 어떻게 죽으면 안 아프게 죽을 수 있을까를 고민했다. 그런 탓이었을까? 나는 매우 부정적인 성향이 강했고 예민했다. 다른 사람이

웃고 행복해하는 모습이 배 아플 정도로 부러웠다. '나도 똑같은 사람인데, 저들처럼 나도 행복해질 수 있을까?' 그때부터 '내면의 변화'에 대해 생각했다.

그때 내게 다가온 것이 책이었다. 책을 읽어 지식을 얻고 정신적인 풍족함을 느끼는 데서 만족하는 사람도 있겠지만, 나는 나를 변화시키기 위해 책을 읽었고, 죽기 싫어서 책에서 하라는 대로 실천했다. 불행하고 우울하게 살고 싶지 않아서 매일 수백 번 미소 짓는 연습을 했다. 누가 보면 미친놈이라고 생각했을 것이다. 그렇게 삶에 대한 몸부림으로 책에서 읽은 대로 실행하고 연습하며 살다 보니 어느새 내면의 변화가 찾아왔다. 부정적인 생각을 100번 하던 내가 긍정적인 생각을 80번 하는 사람으로 변화되어갔다. 그러면서 표정도 밝아졌다. 사람은 동시에 두 가지 생각을 하지 못한다. 부정적인 생각이 앞을 가리면, 억지로라도 긍정적인 언어와 생각을 되뇌고 내뱉어야 한다.

한 스승이 세 명의 제자에게 각각 잡초를 뽑으라고 일렀다. 그러자 한 명은 잡초를 태웠고, 다른 한 명은 잡초를 모조리 뽑아버렸고, 마지막 한 명은 보기 좋은 식물을 한가득 심었다. 그러자 보기 좋은 식물에 가려 잡초는 더 이상 보이지 않았다. 부정적인 생각을 없애려고 그 생각에 집중하면 부정적인 생각에 휩싸이고 만다. 하지만 긍정적인 생각으로 부정적인 생각을 덮으면 부정의

나에 대한 가장 안전한 투자는 '독서'다. 지식을 탐구하기 위해서 책을 읽는 사람도 있겠지만,
나는 긍정적인 마음의 변화를 위해 책을 읽으라고 조언하고 싶다.

씨앗이 고개를 들지 못한다. 좋은 습관으로 나쁜 습관을 덮어버리는 것이다.

　내 경험에 비추어봤을 때 나에 대한 가장 안전한 투자는 '독서'다. 지식을 탐구하기 위해서 책을 읽는 사람도 있지만, 나는 긍정적인 마음의 변화를 위해 책을 읽으라고 조언하고 싶다. 책을 읽고 변화했다는 사람이 생각보다 드문 이유는 책을 읽는 동안 수없이 의심하기 때문이다. 언어영역 9등급이었던 나는 이지성이 쓴《독서 천재가 된 홍대리》에 나오는 커리큘럼을 통해 마음의 변화를 시도했다. 잘 읽히고 이해하기 쉬운 책부터 읽기 시작하면 읽어야 할 책들이 꼬리에 꼬리를 물며 나타난다.

　물론 '나'를 변화시키는 일이 얼마나 어려운 일인지 잘 알고 있다. 하지만 정말 간절히 내 자신을 변화시키고 싶으면 아무리 어려운 길이라도 기꺼이 걸어간다. 생존과 관련된 문제이기 때문이다. 그러니 변화에 대한 열망을 억지로 불러일으키려고 애쓰지 않아도 된다. 그게 필요한 시기가 오면 자연스레 변화를 위한 단계로 나아간다.

우리는 어떻게
뒤통수를 맞는가

╋ ╋ ╋

　사기를 당하는 사람은 따로 정해져 있지 않다. 성별, 나이를 가리지 않는다. 다만 사기를 당하는 사람들 중에는 경제적으로 여유가 없는 사람이 많다. 돈 때문에 불안한 상황에 놓여 있으면 고수익을 얻을 좋은 투자처가 있다는 말에 귀가 솔깃해지기 쉬우니 말이다.

　한국인만큼 '대박'을 입에 달고 사는 사람들도 없을 것이다. 로또 청약, 고수익 상가 분양, 주식 리딩, FX 마진 거래, 비트코인으로 일확천금을 얻고 싶어 하는 사람이 많다. 그리고 정말 대박을 맞았다는 사람도 많다. 그러다 보니 나도 대박의 꿈을 이룰 수 있을 것 같은 착각에 빠진다. 사실 직장인이 열심히 일해서 월급을 모아 부자가 되는 일은 거의 불가능한 시대가 되었다. 연애, 결혼, 출산을 포기하는 3포 세대, 거기에 더해 내 집 마련과 인간관계까지 포기하는 5포 세대가 등장했다.

하지만 나는 이 모두를 포기하고 싶지 않았다. 나 역시 돈에 대해 허황된 꿈을 꿨고 상대의 솔깃한 제안을 쉽게 믿기도 했다. 내가 비트코인으로 천만 원을 날렸을 때, 어떻게 알았는지 주식 리딩 전문업체에서 연락이 왔다. 천만 원을 잃고 나니 누군가에게 의지하고 싶었다. 내가 직접 투자를 해서는 망하기 쉽다는 생각으로 가득 찼을 때였다. 연락이 온 업체의 홈페이지에 접속해 보니 꽤 그럴싸하게 꾸며져 있었고, 투자수익률도 표시되어 있었다. 카카오톡 오픈채팅방에 들어가 보니 2주간 수익률을 이끌어준다고 설명했다. 실제로 10만 원에 5% 수익률을 경험하게 만들어주었다. 채팅방 사람들도 5% 수익률을 인증하는 사진을 캡처해서 올렸다.

'양떼효과'라는 말을 들어봤는가? 무리에서 뒤처지지 않기 위해 다른 이들을 따라하는 과정에서 나타나는 일종의 군중효과를 가리키는 말이다. 주식시장에서 투자자들이 주가가 상승할 때 더 높은 가격으로 오를 것을 기대하여 매수하고, 주가가 하락 국면

일 때 다른 사람을 따라 매도하는 것도 일종의 양떼효과다. 나는 양 떼 중 하나였다. 다른 이용자가 결제 인증을 올렸을 때 의심스러웠지만 이미 마음은 흔들린 상태였다.

주위에서 주식 투자를 한 선배들이 꽤 많은 돈을 벌었다는 소식이 들려왔고, 직장 동료도 친구도 선후배도 다들 주식 투자를 하는 분위기였다. 지인들이 주식 투자에서 재미를 보자 나는 망설임 없이 1년에 300만 원 하는 리딩방에 입성했다. 인생에서 큰 결정을 내릴 때는 좀 더 신중하게 올바른 정보를 확인하고 자신만의 원칙을 세워야 한다. 하지만 나는 다른 사람들의 말에 휘둘렸고 잃은 돈을 만회하기 위해 8,000만 원을 또다시 대출받았다. 시장 상황은 좋지 않았다. 추가로 2,000만 원을 잃은 나는 그 상태로 1년 넘게 끌려 다녔다.

나는 수천 만 원을 잃고 절망에 빠져 있는데 다른 사람들은 여전히 주식으로 돈을 벌고 있었다. '남들은 저렇게 잘 버는데 나는 왜 이것밖에 안되지?'라는 생각에 주식 투자를 권유한 선배들이 원망스러웠다. 투자 실패로 목숨을 끊는 사람들의 심정이 이랬을 것 같다는 생각까지 들었다. 잃은 돈을 회복하지 못하면 내 앞길은 깜깜할 뿐이었다. 다행히 직장이 있어서 대출을 갚을 수 있다는 사실이 그나마 위로가 되었다.

그렇게 1년을 보낸 뒤에야 주식에서 과감히 손을 털고, 그때까지의 실패와 실수를 인정했다. 그리고 곧장 리딩방을 뛰쳐나왔다. 그리고 냉정한 시선으로 왜 내가 이렇게 실패했는지 분석했다. 돈에 궁핍한 상황에 처해 있었기 때문이었다. 그런 상황에 놓여 있으면 이를 만회하기 위해 잘못된 선택을 할 가능성이 커진다. 세상에 공짜는 없다. 쉽게 얻으려고 하면 쉽게 망한다. 손실은 뼈아팠지만, 실패와 실수를 인정하고 나니 마음은 홀가분해졌다. 내가 처한 현실을 부정해봐야 남는 건 아무것도 없었다. 현실을 인정하고 대안을 찾아야 했다. 충분히 만회할 수 있는 돈이라고 내 자신을 다독이면서 마음을 다잡았다. 나보다 더 힘든 사람이 많다며 내 자신을 위로했다.

이 모든 실패의 이유는 욕심과 욕망에 사로잡힌 광기 때문이었다. 비트코인으로 돈을 잃고 나서 엄청난 공포감으로 다른 투자처를 찾았고, 그런 성급함이 더 큰 손해를 불러왔다. 적어도 새로운 분야에 투자를 한다면 비트코인이나 주식에 대한 책이라도 읽으며 공부를 했어야 하는데, 아무런 노력도 하지 않은 채 대박만을 바랐다. 직장에 들어가기 위해서는 그렇게 공부를 열심히 했는데, 왜 수천만 원을 투자해야 하는 일에는 그토록 아무런 노력도 하지 않았을까? 모든 것을 내 탓으로 돌리고 나니 제대로 된 공부를 할 수 있었다.

돈에 뒤통수를 맞지 않으려면 최소한의 이해와 공부가 필요하다. 사람은 불안하고 욕심과 욕망에 사로 잡혀 있을 때가 가장 위험하다. 객관적이고 이성적인 판단을 하기가 어렵기 때문이다. 세상에 쉽게 돈 버는 방법은 없다. 쉽게 돈을 벌려고 하면 쉽게 유혹에 빠지고 쉽게 망한다. 기하급수적인 성장은 없다. 모든 성과는 계단식이다.

부자들은 돈을 잘 버는 능력과 잘 굴리는 능력 두 가지를 모두 가지고 있다. 다른 사람들의 불편함을 덜어주는 서비스도 기가 막히게 잘 찾아낸다. 그들 역시 실패를 통해 배웠고, 돈은 쫓으면 달아난다는 교훈을 얻었기 때문이다.

혹시라도 사기를 당한 경험이 있다면 사기꾼들은 어떻게 그토록 사람 마음을 단숨에 사로잡아서 나한테까지 사기를 칠 수 있었는지 분석해보자. 내가 왜 그들의 말에 솔깃해져서 결제까지 했는지, 어떤 마케팅 포인트에 매혹당했는지 역으로 추적해서 내 것으로 만들자. 잘못된 방법이고, 그런 식으로 돈을 벌어서도 안 되지만, 그 안에서도 분명히 배울 점이 있다. 사기꾼과 서비스 제공자는 한 끗 차이로 갈라진다.

스마트스토어 신규 사업자를 노리는 마케팅 업자들의 수법은 동일하다. 전화문의를 해온 초보자에게 가장 달콤한 유혹으로 미끼를 던진다. '매달 얼마간 돈을 주면 상위노출을 보장해주겠다.' '매출에 도움을 주는 광고 세팅을 대신해주겠다. 하지만 이 모든 세팅은 무료다.' 이런 식이다. 아무것도 모르는 사람들이 혹할 만한 제안이지만, 모두 거절해야 하는 제안이다.

개인이 판매하는 제품은 다 다르다. 수억 개의 상품이 있는데 그중에서 내 상품이 노출만 잘 된다고 다 팔릴까? 그렇지 않다. 직접 경험해보지 않은 세계는 다른 사람들이 경험시켜주기 힘들다. 차라리 그 비용으로 직접 마케팅을 하거나 노출을 늘려보는 경험을 해보는 게 좋다.

작은 업체를 운영해도 여러 유혹에 노출된다. 뒤통수 맞지 않으려면 조급함을 버려야 한다. 조급함이 찾아오면 한 발 물러서서 내 마음을 냉정하게 들여다보아야 한다. 내가 흔들리지 않도록 잡아줄 수 있는 사람은 내 자신밖에 없다.

호구가
세상을 얻는다

+ + +

    카페를 창업하고 첫 목표는 "사장님, 이렇게 다 주면 남는 게 있어요?"라는 말을 듣는 것이었다. 잘되는 음식점들을 찾아가보면 퍼주고 망한 가게는 없다. '어떻게 하면 카페에 찾아오는 손님들을 조금이라도 기쁘게 해줄 수 있을까?'만 생각했다.

    아기와 엄마가 함께 오면 아기가 먹을 수 있는 과자와 음료를 마음껏 나눠주었다. 학생들이 찾아오면 마카롱을 하나 더 내주었다. 14평 작은 매장에 다섯 테이블이 전부였지만, 매장을 이용하는 손님에게는 디저트를 나눠드렸다. 맘카페와 제휴를 맺고 첫

1~2달간은 무료 커피를 제공해드렸다. '첫인상'이 중요하다고 생각했고, 돈보다 사람이 더 중요한 사장이라는 말을 듣고 싶었다. 저가 커피 프렌차이즈였지만, 두 달간 수익은 고객에게 모두 나누어주었다.

코로나로 매출이 반으로 줄었을 때는 배달을 통해서 매출을 충당할 수 있었다. 겨울에는 따뜻한 커피 주문이 많았는데, 배달하면서 쏟아지거나 터져서 배달을 다시 해야 하는 상황이 발생했다. 이런 상황을 만회하기 위한 특단의 조치가 필요했다. 테이프를 붙여보기도 했지만 번번이 실패했다. 따뜻한 증기 때문에 어떤 방법을 써도 용기가 터지고 흘러넘쳤다. 그러자 고객들이 불만을 쏟아내기 시작했다.

한 달간 고민한 끝에 작은 플라스틱 컵 안에 따뜻한 컵을 넣어봤다. 딱 맞게 들어갔다. 이중 용기로 커피를 감싸니 열기도 쉽게 빠져나가지 않았다. 터지지도 않았고, 커피가 조금 흐르더라도 플라스틱 용기 내로 흘러들었다. 어떤 사람들은 플라스틱 용기 하나 더 보태면 그만큼 돈이 드는 것 아니냐고 걱정을 하기도 했지만, 고객들이 만족한다면 그것으로 족했다.

고객 만족과 직원 만족 두 마리 토끼를 모두 잡고 싶었지만 초반에는 고객에게만 철저히 초점을 맞추었다. 그러자 직원들이 불만을 토로하기 시작했다. 배달도 처리해야 하고, 손님도 받아야 하고, 사장의 요구 사항은 계속 늘어만 가니 직원들의 업무가 가중된 것이다. 그런 직원들을 보면서 나는 시간을 줄일 수 있는 도구를 준비했다. 처음에는 실링기를 마련했다. 플라스틱 음료에 실링이 되는 시간은 3초, 무엇보다 배달을 처리할 때 간편했다. 배달 영수증이 연동이 안 되어서 기억에 의존해서 커피를 제조하는 탓에 주문 실수가 잦았는데, 이를 개선하기 위해 노트북과 영수증 기계도 구매했다. 배달 어플리케이션 전용 프로그램 노트북이었다. 500만 원이 들었지만 시간에 여유가 생기고 주문 실수도 현저히 줄어들었다.

한번은 맘카페에 우리 카페에 대한 악플이 달린 적이 있었다. 나는 장문의 사과글을 남겼다. 그리고 얼마 뒤, 그 악플을 썼던 고객이 찾아와 오히려 정중하게 사과를 했다. 그 뒤 그 고객은 우리 카페의 단골이 되었다.

사람은 누구나 실수를 한다. 그 실수에 항의하는 사람이 있으면 실수를 인정하고 사과하면 된다. 사실 악플은 사람들의 관심이자 용기다. 우리 가게가 더 잘 되길 바라는 마음에서 개선 사항을 적어주는 것이다. 물론 악의적으로 허위 제보를 하는 사람들도 있지만, 대부분은 가게가 좀 더 성장하길 바라는 마음에서 시간을 내어 글을 쓰는 것이다. 어려움에 직면했을 때 그 위기를 어떻게 극복하느냐에 따라 가게의 명운이 걸려 있다고 해도 틀린 말이 아니다.

스마트스토어와 블로그 강의를 할 때마다 느끼는 사실이지만, 내가 가지고 있는 모든 것을 솔직하게 나눠주면 사람들은 감동하기 시작한다. 잘 모르면 모른다고 솔직하게 말하고 서로 의견을 모으면 된다. 사람들은 그런 서비스를 나쁘다고 생각하지 않는다. 오히려 인간적이라고 생각한다. 실수를 하면 정정하고, 모르면 배워서 알려드리겠다고 솔직히 말하는 게 현명한 처사다.

수천만 원의 돈을 투자하면서 여러 강의를 들은 뒤 몸소 느꼈던 사실 한 가지가 있다. 자신의 모든 것을 내주려는 사람이 거의 없다는 사실이다. 솔직히 나도 나의 모든 것을 내주기가 망설여질 때가 있다. 그런 생각이 들 때마다 나는 다시 한 번 나의 닉네임을 되뇌인다. 헤프게 모든 것을 내어주는 사람 '헤람'. 그러면 내 닉네임대로 살아가자는 마음이 생긴다.

만 원을 벌게 해주는 서비스를 제공한다고 가정하자. 나는 "저는 이 돈으로 월 100만 원 벌었으니 누구라도 할 수 있습니다"라고 말하지 않는다. "저는 누구라도 100만 원을 벌어드리겠다고 자신 있게 말씀은 못 드립니다. 하지만 딱 1개를 판매해보는 경험은 안겨드리겠습니다."

이 세상에는 뛰어나고 잘난 사람이 많다. 어쩌면 모두 다 나보다 똑똑할지도 모른다. 내가 그들보다 덜 똑똑할지는 모르지만,

나는 그들보다 진심과 정성이 가득하다는 말은 자신 있게 할 수 있다. 평범한 사람이 갖는 힘은 뛰어나다. 평범한 사람들의 마음을 더 잘 이해할 수 있기 때문이다. 시작할 때 어려웠으므로 그들이 무엇을 불편하게 여기는지 잘 안다. 그렇게 진심을 다해 다가가면 그 마음은 통하게 되어 있다. 내가 얻는 것보다 고객에게 무엇을 더 줄 것인가를 생각하다 보면 고객은 자연히 늘어나고, 어느새 내 단골이 되어 있을 것이다.

게으른 나를 N잡러로 만들어준
세 가지 방법

✛ ✛ ✛

    나는 천성적으로 게으른 사람이다. 늘어지게 낮잠 자는 걸 좋아하고, 아침에 일찍 일어나는 게 세상에서 제일 괴롭다. 하루를 살아갈 생각을 하면 눈앞이 깜깜해질 때도 있다. 언제까지 이런 생활을 하고 있어야 하는지 짜증이 올라올 때도 있다. 습관이 되지 않아서 블로그에 글을 쓸 때마다 괴롭기도 하다. 이 콘텐츠를 과연 사람들이 봐줄까 의심이 들기도 한다. 다른 사람들의 유튜브나 블로그를 보고 있으면 세상에는 왜 이렇게 잘나고 똑똑한 사람이 많을까 내 자신이 초라해지기도 한다. 계획하고 3일도 되지 않아 포기한 적도 많다. 그랬던 내가 어떻게 N잡러가 될 수 있었을까?

첫째, 작은 성공을 지속했기 때문이다. 시스템의 수준을 낮추어서 성공할 수밖에 없는 수준까지 잘게 쪼개왔기 때문에 여기까지 올 수 있었다. 스마트스토어를 예로 들어보자. 물건을 하나도 팔아보지 않은 사람이 꿈을 크게 꾸면 시작하지 않을 가능성이 99%다. 나도 더 빠르고 획기적으로 돈 버는 방법을 찾아다니느라 수백만 원의 강의료만 지불한 채 허송세월을 보냈다. 돈을 벌고 싶었다면 모르는 부분을 찾아서 강의를 듣고 바로 실행했어야 했다.

지속력을 갖추는 데 가장 중요한 것은 물건을 하나라도 팔아보는 경험이다. 어떤 수강생은 "상세페이지가 엉망인데, 이걸 고치려고 하니 엄두가 나질 않아요"라며 한숨을 쉬었다. 도매업체에서 나눠주는 상세페이지를 그대로 두더라도 판매가 일어나는 상품은 있다. 다 똑같은 상품도 결국 판매는 일어난다. 그런 질문을 받으면 나는 이렇게 답한다. "주문이 들어오는 상태를 유지하고 다른 과정으로 넘어가세요. 그렇지 않으면 결국 3개월 안에 그만두게 됩니다."

작은 성공 습관이 쌓이고 쌓여야 큰 성공이 된다. 처음에는 작은 성공을 경험하는 데 초점을 맞추어야 한다. 물건을 1개라도 팔아봐야 자신감이 생기고 재미가 붙는다. 그런 성취감이 없으면 일을 계속하기 힘들다.

둘째, 데드라인을 두었기 때문이다. 자신과의 데드라인은 깨지기 쉽다. 하지만 다른 사람과 약속한 데드라인을 깨뜨리기란 쉽지 않다. 특히 중요한 일일수록 다른 사람과 데드라인을 정해두면 좋다.

강의 콘텐츠를 만들 때 나는 미리 공지하고 사람들을 모은 다음에야 강의 자료를 만든다. 머릿속에 있는 것을 꺼내서 강의로 만드는 일은 쉽지 않다. 하지만 나는 일주일마다 하나씩 만들었고, 어떤 날은 새벽 4시까지 강의안을 만들고 수정하기도 했다. '스마트스토어를 시작할 때 가장 잘 도와주는 사람'이 되는 게 내 강의 시작의 목표점이었다.

첫 번째 강의 시간에 수강생들이 많이 힘들었을 것이다. 5시간 동안 될 때까지 붙들어두었으니 말이다. 그렇게 매달린 끝에 4주가 지나자 수강생 전원이 상품 판매를 이뤄냈다. 아직도 그날을 잊지 못한다. 지금은 30명을 대상으로 강의하는데도 3시간이 걸리지 않는다. 고객의 효율화에 초점을 맞추니 많은 인원도 소화할 수 있게 되었다.

셋째, 절실할 수밖에 없는 환경에 놓여 있었기 때문이다. 양가 부모님 모두 형편이 넉넉하지 못했고 자식들도 마찬가지였다. 갑자기 누군가가 큰 병에 걸리면 눈앞이 캄캄한 상황이었다. 그런 상황에 처해 있다 보니 직장에 다니는 3년 내내 막막하고 답답하기만 했다. 가슴 한편에 무언가가 꽉 막힌 듯한 느낌이었다. 내 상황을 피하고 싶었고 외면하고 싶었다. 하지만 누군가는 책임져야 했다. 그러자 '그래, 내가 양가 부모님을 다 책임질 수 있을 만큼 돈을 많이 벌면 되는 것 아닌가?'라는 생각이 들었다. 매일 꽉 막힌 현실을 보면서 한숨만 쉬고 있으니, 그 상황을 타개하기 위해서 무언가를 도모하면 되는 일이었다.

부자가 되겠다는 것도 선택이 아닐까? 내 경우는 어쩔 수 없는 선택이었지만 결과는 만족스러웠다.

만약 내가 이런 환경에 처해 있지 않았다면 죽었다 깨어나도 부자가 되어보자는 결심은 하지 않았을 것이다. 천성이 게으른 데다 직장 때문에 도저히 시간을 내기가 어려웠기 때문이다. 도중에 실패도 많이 했다. 그 덕분에 실패의 경험도 다른 사람과 나눌 수 있게 되었다.

익숙한 길에서 불편함을 선택하면 언제나 고통이 따른다. 누군가는 그 고통을 뛰어넘고 앞으로 나아간다. 나는 등불을 켜고 반걸음 먼저 나갔을 뿐이다. 대단한 사람이 아니기에 나의 경험이 다른 사람에게 도움이 될 수 있을 거라 생각했다. '단 한 사람이라도 그의 마음에 작은 불씨를 심어줄 수만 있다면' 나는 더 바랄 것이 없다.

　사람의 마음을 혹하게 하는 건 그리 어려운 일이 아니다. 사람들은 자기가 듣고 싶은 이야기를 해주는 사람을 좋아하기 때문에 뜬 구름 잡는 이야기, 단번에 성과를 낼 수 있는 이야기를 하면서 헛된 희망을 심어주면 된다. 하지만 가장 오래 가는 것은 진심이다. 내가 하려고 하는 일에 진심을 품은 사람만이 성공에 다다른다. 그런 사람의 성장은 느리고 더디게 보이지만 어느 순간 가파르게 성장한다. 내실이 튼튼하기 때문이다. 나는 여전히 그런 사람들의 성품과 삶을 닮아가고 싶다.

모든 이들의
경제적 자유를 꿈꾸며

　한 달에 생활비 50만 원만 보탬이 되고 싶다는 꿈을 꿔보는
건 어떨까? 적은 금액처럼 보이지만 한 가정에서는 한 달에 두 번
외식할 수 있는 금액이다. 나는 외벌이로 살면서 큰 어려움 없이
살아왔지만 결혼하고 아이 둘을 낳으면서 생계가 불안해지기 시
작했다. 아이들이 커가면서 외식비마저 만만치 않게 되었다. 더
구나 양가 부모님도 노후 준비가 안 되어 있었던 탓에 그 부분도
무시할 수 없었다. 사회생활을 처음 시작하던 때의 자신만만하고
패기 있던 모습은 점차 사라지고, 나는 점점 나약하고 불안한 직

장인으로 변해갔다.

무언가를 도모해야 했다. 그렇게 하지 않으면 평생 돈 걱정만 하다 죽을 게 뻔했다. 그래서 부업을 시도하기 시작했고, 몇 가지 분야에서는 작은 성과를 보기도 했다. 누군가에게는 보잘것없는 금액일지 모르지만 나에게는 너무나 소중한 돈이었다.

나와 비슷한 고민을 하는 사람이 많을 것이다. 단돈 50만 원 이라도 더 벌 수 있다면 한층 어깨가 가벼워질 것 같다고 생각 하는 사람들이 이 책을 선택했을 것이다. 물론 이 책에서 말하는 금액이 인플루언서나 전문가의 눈에는 작게 보일 수 있다. 하지 만 이제 막 부업에 첫발을 내딛은 사람들에게는 결코 작은 돈이 아니다.

내가 책을 쓰겠다고 결심하게 된 이유도 나처럼 작은 돈이라 도 가정 살림에 보탬이 되고 싶은 SNS 부업 초보자들에게 도움 을 주고 싶었기 때문이다. 그들의 간절함을 잘 알고 있기에 그들 이 궁금해하고 알고 싶은 것을 콕 집어 알려줄 수 있다는 확신이 있었기 때문이다. 전문가들은 보지 못하는 어려움을 나는 누구보 다 잘 알고 있으니까 말이다.

이 책은 철저한 실용서다. 한 번 읽고 덮어버리는 책이 아닌, 단계별 실행에 초점을 두고 직접 실행해보는 책이다. 욕심 같아 서는 마케팅 방법, 상위노출 노하우, 상세페이지 작성법, 광고하는 법 등에 대해서도 더 쓰고 싶지만, 이 책에 수록하지 않은 이유는 그런 상세한 정보보다는 우선 물건을 1개라도 팔아보는 경험이 무엇보다 중요하기 때문이다. 실행하지 않으면 다 소용이 없는 정보다. 때문에 이 책에서는 물건을 팔 수 있는 가장 기본적인 방법만 제시했다. 그 외의 정보는 딱 한 번 돈이 들어오는 경험을 한 사람은 누가 알려주거나 시키지 않아도 그때부터 스스로 정보를 찾아보기 때문이다. 실행한 뒤 작은 성과를 맛보고 다른 정보를 찾아 나서기 시작하면 그때부터는 한층 더 성장하는 자신을 만나게 될 것이다.

당장 성과가 나지 않는다고 좌절하면 안 된다. SNS 부업은 다른 재테크와 달리 금방 성과가 나타나지 않는다. 블로그도 그렇고 스마트스토어도 마찬가지다. 조급한 마음을 버리고 한 달간 하루 2시간만 시간을 투자해서 블로그나 스마트스토어를 진행해보라고 권하고 싶다. 20개의 글을 올리고 체험단을 신청해보고, 최소 50개의 상품을 등록하고 상품 판매가 발생할 때까지 기다리다 보면 분명 좋은 결과가 만들어질 것이다. 장담컨대, 내 강의를 듣고 실행한 사람 중에 지금까지 단 한 번도 성과로 이어지지 않은 사람이 없었다.

여윳돈 50만 원에 만족한다면 더 욕심내지 않고 여기에서 멈춰도 된다. 그 이상을 원하는 사람은 다른 정보를 찾아 실행하고 내공을 쌓아야 한다. 자신에게 어떤 플랫폼, 부업, 투잡이 맞는지 찾아야 한다.

1~2년 전에는 세상에 답이 정해져 있다고 생각했다. 부자는 죽을 때까지 부자로, 가난한 사람은 죽을 때까지 가난하게 산다고 생각했다. 계층사다리는 끊어졌고, 그 간극을 뛰어넘기란 다시 태어나는 것만큼이나 어렵다고 생각했다. 하지만 나는 부자가 되어야 했고, 너무나 절실했기 때문에 과감히 기존의 생각을 부수어야 했다. 갤럽의 강점검사를 해보면서 나의 성향을 파악할 수 있었고, 그 성향에 맞추어 돈 벌 수 있는 방법을 찾을 수 있었다. 이 책을 읽는 독자들에게는 이 책이 그런 계기가 되었으면 한다.

이 책이 나오기까지 도움을 준 정경미 작가님, 책을 쓰라고 권유해준 렘군님, 좌절감에 사로잡혀 있던 저를 끌어올려주신 황남상 편집자님, 출판사 대표님께 다시 한 번 감사드린다. 책을 쓰는 내내 곁을 지켜주고 응원해준 아내에게 언제나, 가장, 진심으로 고맙다.

월급 말고 플러스알파, 온라인으로 돈 벌기

1판 1쇄 인쇄 2023년 1월 16일
1판 1쇄 발행 2023년 1월 30일

지은이 이수환
발행인 김형준

편집 구진모
마케팅 김수정
디자인 섬세한 곰 김미성

발행처 체인지업북스
출판등록 2021년 1월 5일 제2021-000003호
주소 경기도 고양시 덕양구 삼송로 12, 805호
전화 02-6956-8977
팩스 02-6499-8977
이메일 change-up20@naver.com
홈페이지 www.changeuplibro.com

© 이수환, 2023

ISBN 979-11-91378-31-3 13320

체인지업북스는 내 삶을 변화시키는 책을 펴냅니다.